CLAUDE GERMAIN

LE POINT SUR L'APPROCHE COMMUNICATIVE EN DIDACTIQUE DES LANGUES

2e édition

9001, boul. Louis-H.-La Fontaine, Anjou (Québec) H1J 2C5

Dépôt légal : 1er trimestre 1993
Bibliothèque nationale du Québec
Bibliothèque nationale du Canada

ISBN : 978-2-7617-1031-2

Imprimé au Canada

Conception graphique et production : **Édiflex inc.**

4 5 6 TN 12 11 10 09

REMERCIEMENTS

Je tiens à remercier chaleureusement Marguerite Hardy, Raymond LeBlanc et Martine Marquilló de leurs suggestions pertinentes quant au contenu et quant à la forme, ainsi que ma mère pour la relecture du manuscrit sur les plans orthographique et typographique.

Note : l'utilisation du masculin pour les titres et les fonctions se veut non discriminatoire.

AVANT-PROPOS

Faire le point sur l'approche communicative n'est pas une tâche aisée. En effet, il n'existe pas UNE mais plusieurs conceptions ou interprétations de ce qu'est l'approche communicative. Et les auteurs paraissent s'entendre davantage sur ce qu'elle N'EST PAS que sur ce qu'elle est : une approche visant à faire communiquer les élèves avec efficacité en langue seconde ou étrangère.

Compte tenu de la diversité des interprétations de l'approche, il s'agit dans un premier temps de la situer dans son contexte sociohistorique afin d'en mieux comprendre la véritable portée. Le présent ouvrage retrace la façon dont elle a pris naissance en milieu américain, en milieu britannique et en milieu français; suivent les circonstances de l'élaboration de *Un niveau-seuil*, dans le cadre du Conseil de l'Europe. Il ressort surtout de ce bref tour d'horizon que, désormais, la langue n'est plus vue étroitement comme l'acquisition d'un savoir, mais bien comme la maîtrise d'un savoir-faire dans des situations de communication.

Dans une deuxième partie, nous aborderons successivement le contenu (la conception de la langue et de la communication, la sélection et l'organisation du contenu), la conception de l'apprentissage et la conception de l'enseignement, conceptions sous-jacentes à une perspective communicative.

En fin de parcours, il apparaît alors que la perspective communicative a pris naissance dans un contexte sociolinguistique centré sur le contenu à enseigner, grâce à des auteurs comme Hymes, Halliday, Widdowson, Canale et Swain, et Moirand. Mais de l'origine au développement d'une véritable méthodologie communicative, plusieurs années de travail se sont écoulées. Autrement dit, le «comment» enseigner n'a pas suivi de très près le «quoi» enseigner.

Il est également remarquable de constater jusqu'à quel point le mouvement communicatif a su récupérer à son profit, pour ainsi dire, la psychologie alors naissante : le cognitivisme est en définitive une «source» ou une justification *a posteriori*. Les limites de la psychologie cognitive étant mentionnées, une piste est suggérée : le recours, par exemple, à la psychologie sociale génétique qui, malgré sa perspective interactionniste, ne semble pas avoir encore été explorée en didactique des langues.

À l'heure actuelle, au moment où le communicatif paraît pouvoir intégrer, tant bien que mal, autant des données d'ordre langagier que d'ordre psychologique ou proprement méthodologique, d'autres tendances commencent à poindre. Le dernier chapitre de l'ouvrage esquisse ces tendances, plus particulièrement celle centrée sur le concept de «tâche», l'approche axée sur les contenus et le «curriculum multidimensionnel» tel que conçu par Stern et élaboré par LeBlanc.

TABLE DES MATIÈRES

PREMIÈRE PARTIE

COUP D'ŒIL RÉTROSPECTIF

L'AVÈNEMENT DE L'APPROCHE COMMUNICATIVE

Avant d'aborder l'étude des conditions sociohistoriques d'émergence de l'approche communicative, un certain nombre de remarques s'imposent sur la nature même de l'approche communicative; elles sont à la source du fil conducteur qui guidera tout l'ouvrage.

Force est de constater, en effet, qu'il n'existe pas UNE, mais plusieurs conceptions ou interprétations de ce qu'est l'approche communicative. Contrairement à ce qui s'est produit dans le passé à propos de la méthode directe, de la méthode structuro-globale audio-visuelle française (SGAV), de la méthode audio-orale américaine ou de la méthode situationnelle britannique, l'approche communicative ne constitue pas un corps de doctrine homogène sur lequel les didacticiens auraient pu s'entendre, loin de là! C'est pourquoi certains ont plutôt parlé d'un «mouvement» communicatif ou d'une «approche» au sens où on l'entendait autrefois.

L'interprétation ou mieux les interprétations de l'approche communicative sont tellement nombreuses qu'on ne sait plus très bien ce qu'est ou n'est pas le communicatif. À cet égard, quelques remarques s'imposent.

Par méthode ou approche – deux termes qui, tout au long de l'ouvrage, seront considérés comme synonymes – , il faut entendre selon Besse : «Un ensemble raisonné de propositions et de procédés [...] destinés à organiser et à favoriser l'enseignement et l'apprentissage d'une langue seconde» (1985 : 14).

Une seconde remarque a trait au fait que les auteurs s'entendent mieux sur ce que n'est pas l'approche communicative que sur ce qu'elle est véritablement. Une approche ou méthode NON communicative paraît être une méthode ou approche qui serait D'ABORD ET AVANT TOUT centrée sur le code linguistique, plutôt que sur le message et(ou) sur les usages sociaux de la langue.

Une troisième remarque concerne le fait que les auteurs s'entendent au moins sur le but visé : il faut montrer aux élèves à communiquer avec efficacité en langue seconde ou étrangère, que nous appellerons désormais L2 dans cet ouvrage (Stern 1981: 134).

Cela signifie donc que les enseignants doivent tenir compte, dans la mesure du possible, des conditions réelles – authentiques – de la communication langagière telle qu'elle se déroule en milieu non scolaire.

Mais les désaccords sont grands entre didacticiens lorsque vient le moment de préciser si la pratique de la langue à des fins véritablement communicatives doit se faire dès le début d'un cours de langue, comme le fait Savignon par exemple (1972), ou seulement après la maîtrise de formes linguistiques de base, comme le réclament plusieurs autres auteurs. De plus, on ne saisit pas toujours très bien si ce sont les «fonctions langagières» ou les «usages sociaux» du langage qui priment. L'approche communicative se réduit-elle aux vues prônées par les didacticiens chercheurs du Conseil de l'Europe dans le cas de l'apprentissage du français, par exemple (*Un niveau-seuil*), ou dans le cas de l'anglais (*Threshold Level*)? Sinon, que comprend-elle de plus? Qu'en est-il au juste?

Il semble bien que des éléments de réponses à ces questions ont déjà été suggérés il y a quelques années par Stern (1981), mais ils paraissent curieusement ne pas avoir trouvé beaucoup d'écho chez les historiens de l'approche. Dans un article intitulé «Communicative language teaching and learning : toward a synthesis», Stern postule en effet qu'une grande partie de la confusion concernant l'approche communicative provient du fait qu'elle est née d'une double contribution : d'une part, une contribution provenant d'une tradition de recherche de nature plutôt linguistique, la langue étant cependant vue dans une perspective communicative, et d'autre part, une contribution dont la tradition de recherche trouve ses sources du côté de la psychologie et de la pédagogie.

De fait, cela ne fait que refléter les deux traditions de recherche qui, depuis le début, ont marqué toute l'évolution de la didactique des langues. D'un côté, il y a les chercheurs qui se réfèrent aux études linguistiques comme étant la base essentielle servant à résoudre les problèmes reliés à l'enseignement des langues, et de l'autre, il y a ceux qui, dotés d'une vision plutôt multidisciplinaire, ont tendance à se référer à toute discipline susceptible d'apporter des solutions aux difficultés rencontrées, la linguistique n'étant qu'une discipline parmi d'autres (Brumfit 1987 : 3).

Tels sont donc les deux courants de recherche qui permettront de traiter comme un tout relativement cohérent les éléments quelque peu disparates de l'approche communicative puisque, comme le reconnaissent tous les auteurs, il n'existe pas véritablement de vision cohérente de l'approche.

Il y a rarement communauté de vue entre les deux orientations même lorsque les conceptions de la langue et de la communication sont apparemment communes ou lorsque les postulats paraissent partagés. Leurs préoccupations, bien que tout à fait complémentaires, demeurent sensiblement différentes (Stern 1981 : 141). Comme les sources issues de l'apport de la tradition de recherche d'orientation linguistique sont beaucoup plus nombreuses, on comprendra donc qu'il puisse y avoir un certain déséquilibre entre les deux types de contribution dont il sera question par la suite.

Il a paru opportun de consacrer le premier chapitre au milieu sociohistorique dans lequel a pris naissance l'approche communicative. Les deuxième et troisième chapitres porteront sur diverses facettes de l'objet même de l'enseignement/apprentissage : la conception de la langue et de la communication (chapitre 2) ainsi que la sélection et l'organisation du contenu (chapitre 3). Les deux chapitres suivants seront respectivement consacrés à la conception de l'apprentissage (chapitre 4) et à la conception de l'enseignement (chapitre 5). Suivra alors un chapitre contenant quelques remarques critiques sur l'approche communicative (chapitre 6). Enfin, l'ouvrage conclura sur quelques éléments de prospective centrés sur les éventuels dépassements du communicatif (chapitre 7).

Aucune méthode ou approche ne se développe en vase clos; des conditions sociales, géographiques, historiques et culturelles expliquent les caractéristiques que prend un mouvement en émergence. Ces conditions sociohistoriques, entendues dans un sens très large, seront rapportées dans un premier chapitre, de manière à fournir un éclairage particulier sur la naissance de l'approche communicative afin de la situer dans son contexte et ainsi mieux comprendre sa véritable portée.

A) L'AVÈNEMENT DE L'APPROCHE EN MILIEU AMÉRICAIN

1. L'AUDIO-ORAL : LES DIFFICULTÉS PRATIQUES

Aux États-Unis, en 1965, c'est la méthode audio-orale qui domine largement depuis plus d'une dizaine d'années. Or, cette méthode commence déjà à montrer certains signes d'essoufflement et d'insatisfaction, comme le constate Rivers, dès 1964, dans un important ouvrage intitulé *The Psychologist and the*

Foreign Language Teacher. Essentiellement, Rivers montre que l'une des principales difficultés pratiques de la méthode audio-orale, en plus de poser certains problèmes d'ordre théorique sur le plan des fondements psychologiques, est l'absence de transposition : les apprenants n'arrivent pas à transposer dans la vie de tous les jours les structures linguistiques pourtant bien apprises et réussies en salle de classe. Ainsi, après quelques années d'utilisation, les enseignants de L2 qui recourent à la méthode audio-orale en arrivent à perdre la ferveur des néophytes. Parallèlement à cet ouvrage, qui constate une relative insatisfaction sur le plan pratique, paraissent successivement, entre 1964 et 1972, une série de quatre études empiriques d'envergure, visant à montrer la soi-disant supériorité de la méthode audio-orale par rapport à la méthode traditionnelle de grammaire-traduction ou par rapport à l'approche cognitive intitulée «Cognitive Code-Learning Theory». Apparentées par certains côtés à la méthode de grammaire-traduction telle que prônée par Carroll, elles comprennent :

- l'étude de Scherer et Wertheimer (1964), visant à comparer les deux méthodes pour l'apprentissage de la langue allemande par 300 étudiants de l'Université du Colorado;
- l'étude de Chastain et Woerdehoff (1968), visant à comparer la méthode audio-orale et la théorie de l'apprentissage cognitif du code linguistique définie par Carroll (comprenant une phase d'explication de la grammaire en L1), pour l'apprentissage de l'espagnol par une centaine d'étudiants de l'Université Purdue;
- le «Pennsylvania Project» (Smith 1970), visant à comparer la méthode traditionnelle de grammaire-traduction, la méthode audio-orale stricte et la méthode audio-orale complétée d'un enseignement systématique de la grammaire, pour l'apprentissage du français et de l'allemand au cours des trois premières années du niveau secondaire public, impliquant initialement environ 3 500 étudiants;

4 – le «GUME Project[1]» suédois (Levin 1972), visant à comparer la méthode audio-orale et la théorie de l'apprentissage cognitif du code linguistique élaborée par Carroll, pour l'apprentissage de l'anglais par des étudiants suédois âgés de 13 à 15 ans et pour l'apprentissage de l'anglais par un groupe d'adultes.

Or, à la suite des résultats de ces recherches empiriques, l'engouement du début fait graduellement place à un certain désenchantement. En effet, aucune de ces études n'arrive à montrer de façon nette la véritable supériorité de la méthode audio-orale par rapport à la méthode traditionnelle de grammaire-traduction ou par rapport à l'approche cognitive. Si les résultats tendent à montrer que les étudiants ayant appris une langue étrangère à l'aide d'une méthode audio-orale sont un peu meilleurs que les autres en expression orale au bout d'une année d'étude, alors que ceux qui utilisent la méthode traditionnelle stricte ou remaniée sont meilleurs à l'écrit, il reste qu'à la suite de deux ou trois années d'étude, on ne note aucune différence statistiquement significative entre les groupes.

En somme, les promoteurs de la méthode audio-orale se doivent de reconnaître que celle-ci est loin de répondre à leurs attentes, vraisemblablement beaucoup trop élevées : les changements apportés par la méthode paraissent être beaucoup moins profonds que certains avaient pu le croire.

Il est à signaler, également, que certaines de ces recherches ont tenté de vérifier, en même temps, les effets du travail en laboratoire de langue sur l'apprentissage d'une langue étrangère. Or, là encore, tous doivent déchanter. En dépit des nombreuses précautions prises quant aux conditions de l'expérimentation, toutes les études ne viennent que confirmer les résultats peu encourageants du très controversé «Keating Report» (1963).

---

[1] Le sigle GUME est l'équivalent, en langue suédoise, de Gothenburg Teaching Methods English.

Ce rapport avait permis de vérifier l'impact du laboratoire de langue auprès de 5 000 étudiants de français langue étrangère. Résultats : le laboratoire de langue n'a aucun effet, qu'il s'agisse de l'écoute, de la lecture, du vocabulaire ou de la grammaire. Ces résultats n'ont pourtant pas empêché, vers la même époque, la multiplication rapide des laboratoires de langue dans presque tous les milieux de l'enseignement des langues.

2. L'AUDIO-ORAL : LES DIFFICULTÉS THÉORIQUES

Pour comprendre l'évolution de l'approche, il importe de se rappeler que c'est la linguistique structurale d'inspiration bloomfieldienne ainsi que la psychologie behavioriste qui ont servi de fondements théoriques à la méthode audio-orale. Or, sur ces deux plans aussi, on assiste à un certain nombre de remises en question. En effet, c'est en 1957 que Chomsky fait paraître son influent *Syntactic Structures*, qui est à l'origine de la grammaire générative-transformationnelle. La même année paraît *Verbal Behavior* du psychologue behavioriste Skinner. Deux ans plus tard, Chomsky publie dans la prestigieuse revue *Language* un compte rendu critique très sévère de l'ouvrage de Skinner, attaquant ainsi les fondements mêmes de la théorie psychologique de l'apprentissage la plus en vogue dans les milieux scolaires. Il n'en fallait pas plus pour provoquer un certain engouement des linguistes appliqués envers la grammaire chomskienne alors naissante, en vue d'en tirer le plus tôt possible des implications pour l'enseignement des langues. Objet de cet engouement, Chomsky est invité, en 1966, lors de la «Northeast Conference on the Teaching of Foreign Languages», à se prononcer sur la question des rapports entre la linguistique et l'enseignement de la langue. Mais, lors de ce colloque qui rassemble principalement des spécialistes du domaine, la communication de Chomsky intitulée «Linguistic theory» (traduite en français en 1972 sous le titre «Théorie linguistique») cause un très vif émoi (Chomsky 1966-1972).

Chomsky attaque Skinner.

Dans son texte, Chomsky constate que les courants psychologiques alors en vogue – notamment le behaviorisme – doivent être contestés. Les principes à la base de ces théories, précise-t-il, sont à la fois inadéquats, puisqu'ils ne peuvent rendre compte ni de la créativité du langage ni des règles abstraites sous-jacentes dans l'emploi quotidien de la langue, et mal posés, puisqu'ils ne s'intéressent qu'à des aspects marginaux de la question. Du côté linguistique, il fait remarquer que, là encore, la démarche est inadéquate : les théories structurales ne permettent pas, à son avis, de rendre compte des règles de formation de phrases, des règles d'organisation phonétique, des règles des rapports son/sens dans une langue, etc. De plus, comme c'est le cas pour la psychologie, les concepts fondamentaux de la description linguistique sont sévèrement critiqués : leurs principes fondamentaux sont remis en question, comme par exemple les principes d'analyse phonétique, le statut du concept de phonème, les procédés analytiques de segmentation et de classification pour découvrir les structures phonologiques et syntaxiques d'une langue, etc.

À cause des insuffisances et de la fragilité de la psychologie behavioriste et de la linguistique structurale, Chomsky en arrive à se poser la question de la pertinence de la théorie pour la pratique. Sa position est essentiellement empreinte de scepticisme : «Je suis, à vrai dire, plutôt sceptique quant à la portée, pour l'enseignement des langues, des vues et des conceptions auxquelles on a abouti en linguistique et en psychologie» (Chomsky 1966-1972 : 6).

Son scepticisme provient notamment du fait qu'il ne croit pas que la psychologie et la linguistique aient atteint un degré de connaissance théorique suffisamment élevé pour pouvoir servir de base à l'enseignement de la langue. Chomsky ne nie pas que les théories psychologiques et linguistiques puissent être d'un quelconque apport à l'enseignement de la langue, mais il souligne le caractère provisoire des résultats obtenus par ces disciplines de base, compte tenu du fait qu'elles sont constamment sujettes à des bouleversements qui risquent d'avoir des effets négatifs chez le praticien : «Je voudrais, une fois de plus, insister sur le fait que les implications de ces théories pour l'enseignement des langues sont loin d'être claires pour moi» (p .10).

C'est ainsi qu'ébranlés par les critiques des fondements linguistiques et psychologiques de la méthode audio-orale, les praticiens américains, un moment tentés de se tourner du côté de la nouvelle linguistique prônée par Chomsky et du côté de la nouvelle psychologie qui lui sert de fondement (la psychologie cognitive), se trouvent tout à coup totalement démunis. On comprend le désarroi des linguistes appliqués qui se font dire, par Chomsky même, que ces nouvelles orientations sont beaucoup trop fragiles et provisoires pour servir de fondements à l'enseignement des langues.

La linguistique appliquée à l'enseignement des langues piétinera pendant quelques années, jusqu'à ce que ce se produisent deux événements majeurs, bien qu'indépendants l'un de l'autre: les réactions de l'anthropologue américain Hymes aux conceptions «idéalistes» de Chomsky et la réunion d'un groupe d'experts, sous l'égide du Conseil de l'Europe, en vue de mettre au point un programme d'études minimales pour l'apprentissage des langues étrangères par des adultes, dans le cadre d'une éventuelle Europe élargie et unifiée.

En 1972 paraît un article de Hymes intitulé «On communicative competence» qui allait avoir une très grande influence. Le texte est traduit en français en 1984, à partir de la version de 1973, intitulée «Toward linguistic competence». Dans cet article, Hymes offre une réplique aux conceptions de Chomsky à qui il reproche, en particulier, de ne pas tenir compte des conditions sociales d'usage de la langue. Alors que Chomsky tente de fonder sa linguistique sur le concept de compétence, définie comme la capacité innée que possède un locuteur-auditeur idéal de produire, dans une communauté linguistique totalement homogène, des énoncés jamais entendus auparavant, l'ambition de Hymes est, au contraire, de fonder une linguistique constituée socialement. En d'autres mots, mû par une vision ethnographique de la communication envisagée dans toute sa complexité de la vie quotidienne, Hymes tente d'élargir le champ de la linguistique de manière à prendre en compte le contexte social dans lequel s'élaborent les énoncés. C'est pourquoi il propose de recourir plutôt au concept de «compétence de communication», qui allait connaître par la suite une très grande popularité dans le domaine de la didactique des langues secondes ou étrangères.

B) L'AVÈNEMENT DE L'APPROCHE EN MILIEU BRITANNIQUE

Du côté britannique, ce n'est pas la méthode audio-orale qui a précédé l'approche communicative mais la *méthode situationnelle,* qui ressemble à la méthode audio-orale sous plusieurs aspects. Cette méthode est grandement répandue surtout pour l'enseignement de l'anglais comme langue étrangère (Howatt 1987 : 18). Il s'agit d'une méthode développée entre les années 1930 et 1960 par des linguistes appliqués britanniques, notamment Palmer et Hornby, eux-mêmes influencés par les travaux des linguistes Sweet et Jones. Il est intéressant de noter que les linguistes appliqués britanniques mettent également l'accent, tout comme les linguistes américains le faisaient à la même époque, sur les structures grammaticales qu'ils présentent cependant sous forme de «tables de substitution» du type suivant (Hornby 1963 : xxxi) :

TABLE DE SUBSTITUTION

<table>
<tr><td>The ceiling</td><td rowspan="2">is
was</td><td rowspan="2">too</td><td>high</td><td rowspan="2">for</td><td rowspan="2">me
you
him
her</td><td rowspan="2">to</td><td>touch.</td></tr>
<tr><td>The box</td><td>heavy</td><td>lift.</td></tr>
</table>

Même si les auteurs de la méthode situationnelle considèrent, tout comme leurs collègues behavioristes américains, qu'apprendre une langue consiste essentiellement en un processus de formation d'habitudes, c'est la notion de *situation* qui en fait l'originalité. Vraisemblablement sous l'influence de Firth et de Halliday, les tenants de cette méthode postulent que toute structure grammaticale doit être liée ou associée aux situations dans lesquelles elles sont censées être utilisées. Influencé par l'anthropologue Malinowski, Firth donne une interprétation sociologique de la sémantique. Dans les années 1950, à peu près tous les auteurs de manuels d'enseignement de l'anglais comme langue étrangère se réfèrent à la méthode situationnelle.

Or, presque à la même époque où Rivers, aux États-Unis, attire l'attention sur l'absence de transposition en milieu naturel des connaissances linguistiques acquises en salle de classe, Newmark (1966) fait remarquer, en milieu britannique, ce qui suit : La plupart des élèves, bien que compétents sur le plan des structures de la langue, c'est-à-dire habiles à produire des énoncés grammaticalement corrects, sont incapables de communiquer dans la vie de tous les jours. Les élèves, écrit Newmark, sont structuralement compétents, mais communicativement non compétents. Ils peuvent, par exemple, recourir à des structures erronées comme «Have you fire?», «Do you have illumination?» ou «Are you a match's owner?», lorsque vient le temps de demander tout simplement une allumette à un étranger («Do you have a light?»). Selon la terminologie de Hymes, on dirait qu'ils connaissent les règles d'usage de la langue, mais qu'ils en ignorent les règles d'emploi.

C'est alors que paraît en 1969 un matériel d'anglais langue étrangère, *Scope, Stage 1*, qui tente d'intégrer, pour la première fois semble-t-il, non seulement les structures de la langue mais les règles d'emploi de la langue. Cette intégration se produit grâce à l'influence de linguistes et de sociolinguistes britanniques travaillant conjointement à sa conception. Il s'agit donc d'un matériel qui contient déjà en germe l'idée d'une approche communicative non centrée étroitement ou exclusivement sur les structures de la langue (Howatt 1987 : 24).

Selon Brumfit (1987 : 4), sur le plan théorique, parmi les pionniers de l'approche, trois auteurs méritent d'être mentionnés : Oller, qui a présenté en 1969, au Congrès de l'AILA (Association internationale de linguistique appliquée) tenu à Cambridge, une communication intitulée «Language communication and second language learning», Candlin, qui a présenté «*Sociolinguistics and communicative language teaching*» au Congrès de l'IATEFL (International Association of Teachers of English as a Foreign Language) tenu à Londres en 1971 et enfin, Widdowson, qui a publié en 1971 dans *English Language Teaching Journal* un article intitulé «The teaching of English as communication» .

C) L'AVÈNEMENT DE L'APPROCHE EN MILIEU FRANÇAIS

Du côté français, la méthode SGAV (structuro-globale audiovisuelle) est née autour des années 1950 et fut représentée initialement par le matériel audio-visuel *Voix et Images de France* dont la première version date de 1958. Elle n'a pas connu une phase brutale de rejet comme ce fut le cas pour la méthode audio-orale d'inspiration américaine et pour la méthode situationnelle de souche britannique. À l'époque, vers 1965 – au moment où tant en milieu britannique qu'américain et canadien on assiste à un désenchantement vis-à-vis, respectivement, de la méthode situationnelle et de la méthode audio-orale – on procède plutôt à des révisions et à des remaniements de la conception originelle de la méthode SGAV. *VIF* a en effet connu trois éditions : 1958, 1961, puis 1971.

C'est que les promoteurs de la méthode SGAV ont vu dans le mouvement communicatif plutôt une confirmation qu'une remise en cause de leurs conceptions de la didactique des langues, vraisemblablement à cause de l'importance déjà accordée dans leur matériel à la situation d'usage de la langue (Besse 1985 : 48-49). D'une part, la méthode SGAV repose davantage sur une linguistique de la parole que sur une linguistique de la langue : elle vise l'apprentissage, non pas d'un code désincarné, d'un système linguistique pris en lui-même et pour lui-même, mais bien d'une langue d'usage concrète, telle qu'utilisée dans des situations de communication. D'autre part, elle privilégie les attitudes, les gestes, la mimique et l'intonation. Pourtant, en dépit de ces caractéristiques, il n'en demeure pas moins que la méthode SGAV fournit peu d'indications au pédagogue sur la nature des interactions verbales, c'est-à-dire les règles d'utilisation du code linguistique dans des situations sociales de communication. Comme le faisait remarquer Moirand dès 1974 :

> «[...] le désenchantement ressenti par les participants des cours audio-visuels apparaît bien avant la fin du cursus d'apprentissage. À mi-parcours [...], dans les cours pour adultes, le taux d'absentéisme augmente. Dans la classe, une passivité parfois déroutante a fait place à la participation enthousiaste des premières leçons. Alors, même les enseignants les plus convaincus accusent un certain découragement... Ils prennent conscience de la pauvreté des échanges verbaux véhiculés par les MAV [méthodes audio-visuelles], pauvreté non pas au niveau de la syntaxe et de la morphologie, mais au niveau des possibilités de communication véritables et de la gamme des modalisations abordées» (Moirand 1974 : 7).

C'est d'ailleurs ce que révèlent les témoignages de certains utilisateurs d'une méthode audio-visuelle comme *De Vive Voix* qui a succédé à *Voix et Images de France* (nous transcrivons telles quelles les paroles des étudiants, sans corriger leurs fautes) :

- «nous apprenons : où est-ce qu'il va? il va au café, il va à la faculté. Mais quand quelqu'un parle à moi à la cafétéria, je ne comprends pas...
- «je parle avec difficulté encore... je n'ai pas envie de parler... j'ai un blocage... je sais les structures, mais je ne peux pas parler» (Gavelle 1980 : 8).

En ce sens, on peut dire que la méthode SGAV, bien que sensibilisée à la situation d'emploi de la langue, n'a pas toujours envisagé la communication dans la totalité de ses dimensions : les situations dialoguées sont toujours aseptisées, les personnages (en nombre restreint) parlent sans hésitation, sans chevauchement et sans reprise. L'intention visée a toujours été la communication, mais les moyens pour y parvenir étaient plus ou moins appropriés. Forts de ce constat, ses promoteurs ont préféré travailler à son amélioration, en tentant de la rendre davantage «communicative» plutôt que de la rejeter.

À cet égard, il est à signaler que s'est tenu à Toulouse, en 1981, le Ve Colloque international SGAV qui avait pour thème : «Problématique SGAV et approche communicative». À la suite de cette rencontre, les sgaviens ont réaffirmé leur fidélité aux options globales de la méthode. En même temps, cependant, certains ont souligné le caractère transitoire de ces propositions et d'autres ont esquissé quelques rapprochements avec les objectifs de l'approche communicative concernant, par exemple, la problématique des linguistiques de l'énonciation. D'autres ont rappelé le principe suivant lequel la maîtrise d'une compétence communicative/expressive passe nécessairement par l'acquisition d'une compétence linguistique. Les participants à ce Ve Colloque ont affirmé leur désir de rechercher des démarches grammaticales moins rigides et plus diversifiées (Rivenc 1981).

D) LE CONSEIL DE L'EUROPE : ÉLABORATION DE *UN NIVEAU-SEUIL*

Au début des années 1970, l'Europe connaît des développements sociopolitiques qui mèneront les états européens à s'associer. Il faut alors tenter, dans ce cadre, de répondre à de nouveaux besoins commandés par l'apparition d'un nouveau type d'apprenants : les adultes de la communauté européenne. En 1973, à la suite de travaux qui ont débuté dès 1968, paraît un premier bilan du groupe d'experts réunis par le Conseil de la coopération culturelle du Conseil de l'Europe. Voici les deux premières questions examinées par le groupe, telles qu'elles figurent dans l'introduction de son bilan :

a) «Comment promouvoir l'intégration européenne et la mobilité des populations en développant l'apprentissage des langues?;

b) «Comment inciter les adultes à apprendre les langues et comment adapter au mieux cet apprentissage à des besoins sociaux et professionnels très divers?» (Trim *et al.* 1973 : 9).

Peu à peu, le groupe d'experts du Conseil de l'Europe en arrive à proposer les grandes lignes d'un syllabus ou programme d'études contenant le seuil minimal en deçà duquel un adulte serait incapable de se débrouiller dans une langue étrangère. Paraissent alors le *Threshold Level – English* (1975) pour l'enseignement de l'anglais comme langue étrangère puis, l'année suivante, *Un niveau-seuil* (1976) pour le français langue étrangère (dont il sera question plus loin de manière détaillée).

Les fondements théoriques sous-jacents à ces volumineux documents sont très variés. Mais dès le début des travaux du Conseil de l'Europe, deux orientations majeures se dessinent. Nous le constaterons dans la partie consacrée à «La sélection du contenu» - chapitre 3 : le notionnel, puis le fonctionnel.

Il ne saurait être question de bâtir l'Europe linguistique sur la simple maîtrise de structures linguistiques. Telle est la réponse européenne aux difficultés soulevées par les praticiens de l'enseignement des langues aux objections théoriques mentionnées notamment par Chomsky, en 1966. Chomsky a en quelque sorte fermé la porte à un recours à la grammaire générative-transformationnelle avant même que les linguistes appliqués aient eu le temps de s'en emparer pour en faire le fondement d'une éventuelle approche dans l'enseignement des langues. C'est pourquoi, ne pouvant plus fonder leur approche sur un seul modèle linguistique solide et fiable, les didacticiens des langues ont dû recourir à une variété de sources. L'histoire de ces sources reste à faire. On peut toutefois se contenter d'affirmer ici, sans risque de se tromper, que les auteurs ont été influencés à la fois par la philosophie du langage, la sémantique, la sociolinguistique et la théorie des actes de parole (dans le cadre de la tradition de recherche dérivée de la perspective linguistique). Il n'est donc pas étonnant que l'approche communicative soit interprétée si diversement selon les auteurs. Il en résulte, également, un ensemble de concepts relativement isolés, peu intégrés (Bérard 1991 : 60).

Quelle que soit la diversité des sources concernant surtout le «quoi» enseigner, il reste que sur le plan linguistique, étant dépourvus d'un modèle de référence unique, les chercheurs se sont mis à élaborer eux-mêmes les fondements linguistiques et sociolinguistiques de leur discipline. Il ressort en effet assez clairement des sources consultées qu'à l'origine l'approche communicative se caractérise essentiellement par sa perspective sociolinguistique. Le soin allait être laissé à d'autres, plus tard, d'en élaborer, d'une part, les aspects psychologiques et, d'autre part, les aspects plus spécifiquement pédagogiques reliés aux activités didactiques de la salle de classe. Cette perspective s'adressera au «comment» enseigner de façon communicative et examinera l'importance accordée, par exemple, aux interactions entre élèves dans des activités en sous-groupes.

Ce qui frappe, dans ce bilan sommaire, c'est la convergence de vues concernant l'apparente inefficacité ou du moins certaines insuffisances des méthodes en place avant les années 70. De plus, après avoir ébranlé les fondements théoriques de ces méthodes, Chomsky ferme en quelque sorte la porte à ceux qui lui paraissent trop empressés de passer à l'application d'une grammaire encore mal assurée dans ses fondements. Les didacticiens de la L2 n'ont pratiquement plus le choix : ils doivent, ou bien se tourner vers d'autres modèles, d'autres théories linguistiques, ou bien se mettre à élaborer eux-mêmes leurs propres fondements, tout en puisant à diverses sources, quitte à y intégrer, à l'occasion, des données provenant d'autres écoles de pensée linguistique.

C'est donc sous la poussée de facteurs internes, tant sur le plan pratique que théorique, de même que sous la poussée de facteurs externes d'ordre sociopolitique, que les didacticiens de la L2 seront appelés à remettre en cause les méthodes utilisées et à jeter les bases de ce qui sera désigné, par la suite, comme étant l'approche communicative. Parmi ces facteurs, nous pouvons énumérer :

- les résultats peu encourageants obtenus par les méthodes des années 1950 et 1960 (facteur interne, plan pratique);
- la critique, par Chomsky, des fondements psychologiques et linguistiques sur lesquels reposent la plupart de ces méthodes (facteur interne, plan théorique);
- la préparation d'une Europe unifiée (facteur externe).

DEUXIÈME PARTIE

ESSAI DE SYNTHÈSE

LA CONCEPTION DE LA LANGUE ET DE LA COMMUNICATION

Au chapitre précédent, il a été question d'une double contribution à la constitution de l'approche communicative : un courant de filiation linguistique et un courant de filiation psychopédagogique. Le premier courant a surtout apporté sa contribution au domaine de la définition de la langue et de la communication, objet du présent chapitre.

Comme le laisse entrevoir la première partie de notre ouvrage, la conception de la langue et de la communication qui a cours dans l'approche communicative n'est pas due à un seul auteur. Au contraire, de nombreux chercheurs, tant théoriciens que didacticiens, ont apporté leur propre contribution, relativement convergente, à l'édification de l'approche. Les pages qui suivent seront consacrées, successivement, à la présentation des conceptions de quelques-uns de ces auteurs, généralement reconnus parmi les plus importants ou les plus influents : Hymes, Halliday, Widdowson, Canale et Swain, et Moirand.

A) LA COMPÉTENCE DE COMMUNICATION, SELON HYMES

Une des premières tentatives visant à déterminer ce qu'implique la communication à l'aide de la langue est certes celle de Hymes, qu'il convient de rapporter, compte tenu de l'impact qu'elle a eu sur l'évolution de l'approche communicative (premier essai : 1966; publication : 1972).

Pour Hymes, une théorie linguistique ne peut être qu'une partie d'une théorie plus générale portant sur la culture et la communication. Autrement dit, toute linguistique doit être fondée sur une théorie sociale et une pratique ethnographique. On ajoute donc beaucoup à la conception chomskienne qui définit la compétence linguistique comme étant la capacité d'un locuteur-auditeur idéal de comprendre et de produire des énoncés linguistiques au sein d'une communauté linguistique complètement homogène. Selon Hymes, pour communiquer entre eux, les membres d'une communauté linguistique doivent posséder à la fois un savoir linguistique et un savoir sociolinguistique, c'est-à-dire non seulement des connaissances d'ordre grammatical mais également des règles d'emploi de la langue selon la diversité des situations de communication.

Dans la présentation de sa théorie de la compétence de communication, Hymes cherche à définir ce qu'un locuteur doit connaître pour être en mesure de communiquer efficacement dans une communauté linguistique. Selon Hymes, la personne qui acquiert une compétence de communication acquiert à la fois la connaissance de la langue et l'habileté à l'utiliser en fonction de la situation de communication. Il s'agit donc d'une conception de la compétence de communication beaucoup moins abstraite que la conception de la compétence grammaticale telle que formulée par Chomsky.

B) LA LINGUISTIQUE FONCTIONNELLE ET SOCIALE DE HALLIDAY

Vers la même époque, soit au début des années 1970, en Grande-Bretagne, le linguiste fonctionnaliste Halliday, disciple de Firth, met au point une théorie linguistique fondée sur les diverses fonctions impliquées dans tout usage linguistique. C'est ainsi que, dans un important article intitulé «La base fonctionnelle du langage», paru en langue anglaise en 1973 et traduit en français en 1974, Halliday s'interroge sur les relations entre la structure interne d'une langue et le type d'utilisation qui est fait de cette langue. Inspiré par les idées de l'anthropologue Malinowski, il développe alors l'hypothèse que ce sont les diverses «fonctions sociales» du langague qui en déterminent les structures linguistiques. Autrement dit, le langage serait marqué par son utilisation, par son fonctionnement social. Ce sont ces conceptions qu'il développe dans son ouvrage de 1976 intitulé *Learning How to Mean – Explorations in the Development of Language*.

Comme les vues de Halliday ont eu une influence, notamment en milieu britannique, sur la plupart des auteurs qui ont contribué par la suite à définir l'approche communicative, il importe de s'y attarder quelque peu (Besse 1980 : 40-41). Du coup, cela permettra de donner un premier aperçu de ce que l'on peut entendre par une «grammaire fonctionnelle» fondée sur une approche sociolinguistique de la langue.

Tirant ses données d'analyses approfondies du développement linguistique d'un enfant, en s'arrêtant en particulier à son état de langue à l'âge de 19 mois, Halliday en arrive à montrer qu'à cet âge, le système linguistique de l'enfant est fort restreint. La forme interne de la langue, c'est-à-dire la structure linguistique, n'est que le reflet direct de ses types d'utilisation. La structure linguistique apparaît être tributaire de la fonction sociale du langage : «On s'aperçoit alors que les structures que l'enfant a maîtrisées reflètent directement les fonctions que le langage remplit pour lui» (1973-1974 : 58).

Quelles sont donc ces fonctions? Selon Halliday, chez un jeune enfant anglophone de 19 mois environ, on compte sept fonctions distinctes et spécifiques (chez l'adulte, les fonctions sont surtout générales) :

1. une fonction INSTRUMENTALE, c'est-à-dire le recours au langage pour obtenir des biens matériels ou des services («je veux», «je ne veux pas»);
2. une fonction RÉGULATRICE, c'est-à-dire le recours au langage pour contrôler le comportement d'autrui («fais ce que je te dis»);
3. une fonction INTERACTIONNELLE, c'est-à-dire le recours au langage pour établir des contacts avec les personnes de son entourage («moi et toi/vous»);
4. une fonction PERSONNELLE, c'est-à-dire le recours au langage pour exprimer des sentiments personnels et des significations;
5. une fonction HEURISTIQUE, c'est-à-dire le recours au langage pour apprendre et pour découvrir;
6. une fonction IMAGINAIRE, c'est-à-dire le recours au langage pour créer un monde imaginaire;
7. une fonction INFORMATIONNELLE, c'est-à-dire le recours au langage pour transmettre l'information.

Pour mieux comprendre l'originalité de la perspective de Halliday, il suffit d'examiner une fonction, la fonction instrumentale par exemple. C'est celle qui est liée à l'utilisation du langage pour obtenir des biens et des services. C'est la fonction où prime le «je veux» ou le «je (ne) veux pas». Le développement du langage consiste pour l'enfant, selon Halliday, à recourir à un «potentiel de sens» dans lequel il peut exiger des biens et des services. Ces biens peuvent consister, par exemple, soit en nourriture (du pain, de la viande, etc.), soit en objets de toilette (de la poudre, du dentifrice, etc.); quant aux services, ils peuvent consister à demander d'allumer ou d'éteindre, d'avoir de l'eau, d'écouter de la musique, voire même à requérir de l'aide pour grimper quelque part ou pour descendre, etc. (1973-1974: 58-60). Il s'agit d'un «potentiel de sens» qui est exprimé ou réalisé par quelques éléments de structure linguistique notés sémantiquement comme O, par exemple, pour «objet de désir» (nourriture, objets de toilette) ou comme S pour «services» (commodités, assistance).

Autrement dit, un énoncé comme «je veux du pain» serait analysé, linguistiquement, non plus comme «sujet» et «objet» mais bien comme «je veux» + O : n (O pour «objet», et n pour «nourriture»). Un énoncé comme «je veux de la poudre» serait analysé comme «je veux» + O : t (t pour «objet de toilette»). Ce sont des termes comme «objet de désir», «accompagner», etc. qui remplacent les termes purement grammaticaux comme «sujet» et «objet». On a donc là les fondements d'une véritable grammaire fonctionnelle, reposant sur les utilisations sociales du langage de l'enfant : «L'organisation interne des langues naturelles s'explique très bien à partir des fonctions sociales que le langage a été appelé à remplir» (Halliday 1973-1974 : 61). C'est que tout système, social ou linguistique, représente pour Halliday des potentialités de signification parmi lesquelles un individu opère des choix selon les circonstances de la situation.

Toutefois, précise Halliday, dans le cas du système du langage adulte, les fonctions sociales sont effectivement beaucoup plus diversifiées que dans le cas de celui du jeune enfant. Par exemple, précise l'auteur:

> «Nous utilisons le langage pour approuver et condamner; [pour] exprimer nos croyances, nos opinions, nos doutes; pour inclure ou exclure autrui de notre groupe social; pour demander et répondre; pour exprimer nos sentiments personnels; pour devenir plus intime avec les autres; pour saluer, converser et nous séparer de nos interlocuteurs; et pour mille autres raisons» (Halliday 1973-1974 : 68).

C'est ainsi que, reconnaissant les variétés de fonctions sociales du langage adulte, Halliday en vient à concevoir la grammaire comme un mécanisme permettant de mettre de l'ordre dans cette multiplicité des fonctions du langage : «La "grammaire" est le mécanisme linguistique qui lie les sélections de sens qui émanent des diverses fonctions du langage et les réalise dans une forme structurale unifiée» (1973-1974 : 70). Chez l'adulte, le nombre d'utilisations du langage est indéfini; c'est pourquoi il faut un mécanisme régulateur, permettant même de combiner dans un seul énoncé plusieurs fonctions. Alors que chez l'enfant, à chaque énoncé ne correspond qu'une seule fonction, chez l'adulte on trouve toutes les fonctions à la fois. Il s'agit alors de macro-fonctions, comme les macro-fonctions «idéationnelle» (la représentation de l'expérience), «interpersonnelle» (le mode et la modalité) et «textuelle» (le contexte d'utilisation) (Halliday 1973-1974 : 68-72).

Avec le linguiste fonctionnaliste Halliday, l'étude du langage repose, en définitive, sur une théorie des significations sociales. Lors de cette phase d'élaboration de l'approche, il n'est encore nullement question des aspects psychologiques ou psycholinguistiques d'une langue. On ne s'intéresse qu'à son ancrage social. Si on ajoute à cette perspective linguistique celle de Hymes, elle aussi d'inspiration sociolinguistique, on comprend mieux l'insistance des premières formulations de l'approche communicative sur les aspects sociaux du langage. On saisit en quoi ce «quelque chose d'autre» nécessaire à la maîtrise de l'usage d'une langue est de nature plutôt sociale : par exemple, comprendre et produire des énoncés appropriés aux diverses situations sociales de communication.

C) WIDDOWSON : USAGE ET EMPLOI; COHÉSION ET COHÉRENCE

À peine quelques années plus tard, sous l'influence cette fois non seulement de la linguistique fonctionnelle de Halliday mais aussi de la philosophie analytique anglaise, représentée surtout par Austin (*How to Do Things with Words*, 1962; traduction française : *Quand dire, c'est faire*, 1970) et Searle (*Speech Acts*,

1969; traduction française : *Les actes de langage*, 1972), le linguiste appliqué Widdowson apporte d'importantes précisions sur l'approche communicative, dans un ouvrage intitulé *Teaching Language as Communication*, 1978 (paru en version française en 1981, sous le titre *Une approche communicative de l'enseignement des langues*). Même si l'influence de cet ouvrage a été marquante, on ne s'arrêtera ici qu'aux deux premiers chapitres qui renferment des distinctions importantes pour notre propos.

Le premier chapitre de l'ouvrage de Widdowson est consacré à deux aspects majeurs de toute performance langagière, à savoir la distinction qu'il faut faire entre «usage» et «emploi» d'une langue (en anglais, respectivement «usage» et «use»). Des suites de phrases hors contexte, comme «La pluie a détruit les récoltes», «Le chat s'est assis sur le tapis», «La licorne est un animal mythique», etc. (Widdowson 1978-198I : 13) fournissent des exemples d'usage correct de la langue. De pareils exemples, grammaticalement corrects, reflètent une bonne connaissance du système abstrait de la langue française. En voici d'autres, amenés par Widdowson.

Prenons le cas d'un exercice structural du type suivant :

Le professeur : *Livre*

Les élèves : *Il y a un livre sur la table.*

Le professeur : *Sac*

Les élèves : *Il y a un sac sur la table.*

Le professeur : *Stylo*

Les élèves : *Il y a un stylo sur la table.*

En pareil cas, il s'agit de réactions à un stimulus verbal et non de réponses à de véritables questions. Dans un exercice de ce type, les élèves ne peuvent que montrer leur connaissance de l'USAGE par la manipulation de structures linguistiques.

Voyons maintenant, le cas suivant :

Le professeur : *Qu'est-ce qu'il y a sur la table?*

Les élèves : *Il y a un livre sur la table.*

Le professeur : *Qu'est-ce qu'il y a sur le sol?*

Les élèves : *Il y a un sac sur le sol.*

On peut dire à propos de ce dernier cas, précise Widdowson, que l'on tient compte, jusqu'à un certain point, de l'EMPLOI puisque pour répondre, il faut qu'il y ait effectivement un livre sur une table et un sac sur le sol. Mais, ajoute l'auteur, il faut se demander pourquoi le professeur pose ces questions puisque si tous savent qu'il y a un livre sur la table, la question est «artificielle» – comparativement, en tout cas, à un échange authentique du type «Où est le chiffon? – Sous votre chaise».

L'emploi de la langue implique que la phrase soit à la fois appropriée au contexte linguistique (on ne s'attend pas, normalement, à «une phrase complète» en réponse à la question «Qu'est-ce qu'il y a sur la table ?») et appropriée à la situation de communication.

Selon Widdowson, «Connaître une langue, ce n'est pas seulement comprendre, parler, lire et écrire des phrases. C'est aussi savoir comment les phrases sont utilisées à des fins de communication» (p. 11). Acquérir une langue consiste non seulement à comprendre et à produire des phrases grammaticalement correctes, mais également à «employer des phrases de façon appropriée à des fins de communication» (p . 12). Or jusqu'ici, précise Widdowson, la tendance a été de ne mettre l'accent que sur le seul usage, négligeant ainsi la connaissance de l'emploi d'une langue. «Les faits semblent montrer que des apprenants parvenus à un bon niveau de connaissance de l'usage d'une langue se trouvent perdus en face d'exemples d'emploi» (p. 30). L'usage renvoie donc à cet aspect de la performance langagière qui démontre une connaissance des règles de la langue, alors que l'emploi se réfère à l'aspect de la performance qui démontre la capacité à se servir de la langue de façon appropriée. En s'attaquant à l'emploi de la langue, et non plus seulement à l'usage, les promoteurs de l'approche communicative espèrent éviter le problème de la transposition (dans la vie de tous les jours), pierre d'achoppement de la méthode audio-orale américaine, de la méthode situationnelle britannique et de la méthode SGAV française.

À cet égard, il faut préciser que le public cible auquel s'adresse Widdowson est très différent du public visé par les experts du Conseil de l'Europe. En effet, pour ces derniers, il s'agit d'élaborer un programme destiné à des adultes de la communauté européenne, en majorité des débutants ou des faux débutants en L2, qui désirent en arriver à se débrouiller le plus rapidement possible dans la vie de tous les jours lorsqu'ils sont mutés dans un pays voisin. Widdowson, à l'inverse, s'adresse surtout à des apprenants adultes fortement scolarisés, d'un niveau très avancé, qui désirent avant tout mettre en pratique leurs connaissances livresques de la L2 (en l'occurrence l'anglais), dans le cadre des cours qualifiés de ESP – English for Specific Purposes.

Le deuxième chapitre de l'ouvrage de Widdowson porte sur «le discours». S'inspirant de données tirées de la philosophie analytique anglaise, Widdowson s'attarde non pas à l'étude des phrases isolées mais à l'emploi des phrases pour créer du discours. C'est ce qui l'amène à faire la distinction entre deux concepts importants : la cohésion et la cohérence. La cohésion, phénomène bien connu et déjà bien étudié par les linguistes (et en particulier par Halliday), concerne la façon dont sont formés, syntaxiquement et sémantiquement, les liens entre phrases ou entre parties de phrases. Arrêtons-nous à la question «Qu'est-ce qui est arrivé aux récoltes?» et à la réponse «Elles ont été détruites par la pluie». Dans ce cas, le pronom «elles» de la réponse fait explicitement référence au mot «récoltes» de la question : grâce

au pronom anaphorique[1] «elles», des liens sont assurés entre deux phrases, de manière à constituer un discours (p. 32-36).

Par contre, avec les question et réponse suivantes : «Qu'est-ce que les policiers sont en train de faire? – Je viens d'arriver», on peut comprendre que l'interlocuteur ne peut fournir le renseignement demandé puisqu'il vient d'arriver sur les lieux. Sur le plan de la forme, il n'y a pas de marques linguistiques qui permettent de faire un lien entre ces deux phrases. Le lien entre les phrases se situe au niveau de la valeur sémantique (en prenant en compte les rapports entre ces deux «actes illocutionnaires») : c'est la COHÉRENCE du discours (p.37-39). Ainsi, des échanges peuvent être à la fois cohérents et cohésifs (comme dans l'exemple «Qu'est-ce qui est arrivé aux récoltes?»), mais d'autres échanges peuvent être cohérents sans être cohésifs (comme dans la réponse «Je viens d'arriver» à la question «Qu'est-ce que les policiers sont en train de faire?»). Voici un autre exemple d'un échange cohérent mais non cohésif :

A : *Le téléphone sonne.*

B : *Je suis dans la douche.*

Il s'agit là d'un discours dit «cohérent».

Ce sont des distinctions de ce genre qui amènent l'auteur à montrer que «les sens n'existent pas, préfabriqués dans la langue elle-même : ils sont construits» (p. 42). Dans la communication linguistique, nous n'exprimons pas tout ce que nous voulons dire. Il y a beaucoup d'éléments implicites, que l'interlocuteur doit partager ou reconstituer pour être en mesure de comprendre véritablement les messages émis. C'est ce que veut dire

[1] Un pronom, personnel ou démonstratif, est dit anaphorique lorsqu'il renvoie à un mot ou à un groupe de mots qui précède ou qui suit. L'emploi anaphorique s'oppose à l'emploi déictique qui renvoie à une personne ou à un objet présent dans la situation, mais non mentionné antérieurement («Elle est étonnée», en parlant d'une personne présente; ou encore, «j'aime bien celui-ci», en parlant d'un manteau que l'on montre).

Widdowson, lorsqu'il soutient que l'utilisation de la langue dans le discours est une entreprise essentiellement créatrice. Il s'agira désormais de travailler sur des échanges complets plutôt que de manipuler des énoncés isolés, comme ceux que l'on trouve dans les «exercices structuraux» de la méthode audio-orale.

D) LA COMPÉTENCE DE COMMUNICATION, SELON CANALE ET SWAIN

Avant le début des années 1980, on assiste donc à un certain nombre de tentatives visant toutes à préciser ce qu'implique la communication langagière. Mais ce n'est qu'en 1980 qu'allait paraître l'une des plus influentes tentatives de définition de la «compétence de communication», à savoir celle de Canale et Swain, parue dans le tout premier numéro (1980) de la revue *Applied Linguistics*. Les auteurs cherchent en effet à déterminer les diverses composantes de ce que Hymes avait appelé la «compétence de communication». Selon Canale et Swain, une compétence de communication comporte trois types de compétences : une compétence grammaticale, une compétence sociolinguistique et une compétence stratégique. Mais, on le verra plus loin, les auteurs vont plutôt, en 1981, regrouper sous quatre rubriques – et non plus trois – les diverses composantes de la compétence de communication.

Par compétence GRAMMATICALE, Canale et Swain entendent toute connaissance des éléments lexicaux d'une langue, ainsi que des règles de morphologie, de syntaxe, de grammaire sémantique de la phrase et de phonologie. Cette compétence porte donc sur la connaissance de ce que plusieurs auteurs appellent le «code» linguistique.

La compétence SOCIOLINGUISTIQUE comporte deux ensembles de règles : des règles socioculturelles, nécessaires pour interpréter la signification sociale des énoncés et des règles du discours, conçues en termes de cohésion et de cohérence, suivant les définitions de Widdowson.

Enfin, la compétence dite STRATÉGIQUE est constituée de stratégies verbales et non verbales qui servent à compenser, en quelque sorte, les ratés de la communication, soit sous la forme d'une paraphrase dans le cas d'oublis momentanés (par exemple «là où on prend le train» pour désigner «la gare»), soit dans les différentes façons d'adresser la parole à quelqu'un dont on ne connaît pas le statut social.

Par la suite, Canale apporte quelques précisions à cette conception dans un chapitre d'un ouvrage collectif intitulé *Language and Communication* (Richards et Schmidt 1981). La compétence de communication, y écrit-il, comprend quatre types de compétences :

- une compétence grammaticale,
- une compétence sociolinguistique,
- une compétence discursive,
- une compétence stratégique.

Autrement dit, la compétence sociolinguistique du premier modèle, qui comprenait de fait des aspects assez différents, a été scindée pour comprendre, d'une part, une compétence sociolinguistique visant le caractère approprié des énoncés aux différents contextes sociaux d'usage, et d'autre part, une compétence discursive, comprenant la cohésion formelle et la cohérence logique des énoncés.

E) LES COMPOSANTES DE LA COMPÉTENCE DE COMMUNICATION, SELON MOIRAND

Quelques autres cadres conceptuels verront le jour, vers la même époque. Comme l'avait déjà bien vu Hymes, il est possible de regrouper de différentes façons les multiples dimensions de la compétence de communication ou de concevoir autrement l'organisation des types de savoirs. Tel est le cas de la conception de Moirand (en France) qu'il convient de décrire ici.

Selon Moirand (1982 : 20), une compétence de communication comprend quatre «composantes». L'auteure préfère en effet recourir au terme de «composante» plutôt qu'à celui de «compétence», pour désigner chacun des aspects de la compétence de communication. Elle les formule ainsi :

- une composante LINGUISTIQUE, constituée de la connaissance et de l'appropriation des modèles relatifs aux divers aspects de la langue (phonétique, lexical, grammatical et textuel);
- une composante DISCURSIVE, constituée de la connaissance et de l'appropriation «des différents types de discours et de leur organisation en fonction des paramètres de la situation de communication dans laquelle ils sont produits et interprétés» (p. 20);
- une composante RÉFÉRENTIELLE, constituée de la connaissance «des domaines d'expérience et des objets du monde et de leurs relations» (p. 20);
- une composante SOCIOCULTURELLE, constituée de la connaissance et de l'appropriation «des règles sociales et des normes d'interaction entre les individus et les institutions, la connaissance de l'histoire culturelle et des relations entre les objets sociaux» (p. 20).

Moirand fait remarquer que si elle n'a pas inclus de «compétence stratégique» dans son modèle, c'est qu'à son avis les stratégies ne sont pas situées sur le même plan que les autres composantes : elles interviennent lors de l'actualisation de la compétence de communication dans une situation concrète (p. 20, note 1). Lors de l'actualisation dans l'interprétation et la production des discours, affirme-t-elle, ce sont toutes les composantes qui interviennent mais, à chaque fois, «à des degrés divers» (p. 16).

Selon Hymes, le fait qu'il n'y ait pas de modèle général unique concernant la compétence de communication «ne constitue pas un désavantage pour l'étude de la compétence de communication par rapport à l'étude de la grammaire» (1973-1984 : 185). Toutefois, qu'il s'agisse du modèle de Canale et Swain, de Canale, de Moirand, ou de tout autre auteur, aucun de ces modèles n'a encore été l'objet de vérifications empiriques. Cela signifie qu'il s'agit de cadres théoriques dont le degré d'adéquation avec la réalité n'a pas été vérifié. Tous s'entendent sur une vision élargie du concept de langue, explicitement rattaché au concept de communication, comprenant des dimensions psycho-socioculturelles. En d'autres termes, on ignore le véritable degré d'adéquation de ces distinctions conceptuelles à la réalité.

Il est certain que la conception de l'objet de l'enseignement ne se limite plus, comme c'était le cas avant les années 1975, en dépit des prétentions théoriques sur le sujet, à une conception étroite de la langue centrée sur ses aspects phonétiques, morphologiques et syntaxiques. L'acquisition de la langue n'est plus vue seulement comme l'acquisition d'un savoir, mais bien comme la maîtrise d'un savoir-faire en situation. Avant l'approche communicative, même lorsque le but visé était la communication langagière, on n'accordait pas autant d'importance aux conditions de l'usage même de la langue, à ce que l'on appelle la pragmatique linguistique. Même «la parole en situation» de *Voix et Images de France* se limite le plus souvent à la situation physique de la parole, représentée d'ailleurs visuellement, sans que soient véritablement prises en compte les dimensions psychologiques et surtout sociologiques de la communication.

Besse le fait observer à juste titre : avec l'approche communicative «il ne s'agit pas simplement d'acquérir la compétence linguistique de L2, mais aussi sa compétence communicative, c'est-à-dire les normes contextuelles et situationnelles qui régissent concrètement les emplois de L2, qui leur confèrent des fonctions communicatives réelles» (Besse 1985 : 48). Comme on le verra par la suite, les implications de pareille conception pour la didactique des L2 se feront alors sentir, tant au niveau du contenu à enseigner que de la méthodologie.

LA SÉLECTION ET L'ORGANISATION DU CONTENU

Ce que doit inclure un programme scolaire est continuellement l'objet de débats, tant dans le domaine de l'éducation en général que dans celui des L2 en particulier.

On peut résumer la situation en disant qu'il existe deux grandes tendances : entendu dans un sens étroit, un programme comprend les objectifs d'apprentissage, la sélection du contenu et l'organisation du contenu; entendu dans un sens large, un programme inclut ces trois composantes, mais il spécifie également tout ce qui a trait à l'enseignement proprement dit : la méthodologie et l'évaluation des objectifs visés (Yalden 1987 : 30). Pour les besoins de la cause, on se réferera dans ce chapitre-ci à deux aspects seulement d'un programme de langue : la sélection du contenu et l'organisation du contenu. Toutefois, comme l'approche communicative s'est surtout développée autour des questions concernant la sélection du contenu à enseigner, c'est donc cette partie du chapitre qui sera la plus longuement développée.

A) LA SÉLECTION DU CONTENU

Afin de mieux cerner ce qui caractérise l'approche communicative quant au contenu à enseigner, il convient de rappeler les différents critères de sélection utilisés avant l'avènement de l'approche communicative. Ainsi, pour la méthode audio-orale, c'est l'analyse contrastive entre la langue source et la langue cible qui sert à déterminer le choix des structures grammaticales à enseigner; les manuels présentent environ douze structures par leçon. Le vocabulaire, très limité, est réduit à ce qui peut être utilisé dans les cadres structuraux obtenus à partir de l'analyse contrastive. Par exemple, «je vais à...» ne peut comprendre qu'un certain nombre de noms de lieux substituables dans cet environnement linguistique.

Dans la méthode SGAV, c'est plutôt l'inverse. À la suite d'enquêtes sur la fréquence et la disponibilité des mots du français parlé, on s'accorde à dire que ce sont les plus fréquents, puisés à même la liste du «français fondamental», qui servent d'armature à l'élaboration de chaque leçon. Il s'ensuit qu'une même leçon pourra comporter jusqu'à une vingtaine de cadres structuraux différents, choisis cette fois selon les possibilités qu'ils offrent d'y insérer le vocabulaire choisi.

Dans la méthode situationnelle, de souche britannique, ce sont plutôt les situations de la vie courante qui servent de critère de sélection du matériel langagier. Mais ces situations sont tout d'abord choisies en fonction de la simplicité des structures linguistiques susceptibles de s'y trouver. Un peu à la manière des exercices structuraux de la méthode audio-orale américaine, ces dernières se présentent sous forme de «tables de substitution», comme on l'a vu au premier chapitre. Mais le vocabulaire, très contrôlé, provient cette fois d'enquêtes sur la fréquence de l'anglais écrit. Citons, à titre d'exemple, *A General Service List of English Words* de West (1953), inspiré de *The Interim Report on Vocabulary Selection* de West et Palmer (datant de 1936).

Avant l'approche communicative, les diverses méthodes en vigueur ont tendance à prédéterminer les éléments langagiers à enseigner, tels le vocabulaire et(ou) les structures grammaticales. Le critère de sélection varie selon chaque méthode.

1. LES BESOINS LANGAGIERS

Une des premières questions que les experts du Conseil de l'Europe se sont posées est celle du critère de choix des contenus à enseigner. Avant l'approche communicative, la réponse était claire : il fallait, pour déterminer ces contenus, procéder à des choix d'éléments linguistiques, structures et lexique par exemple. Avec le nouveau programme en cours de développement, de nouveaux critères s'imposent. C'est ainsi que Richterich est amené, toujours dans le cadre du projet du Conseil de l'Europe, à faire reposer le choix des éléments à enseigner sur une analyse des «besoins langagiers» (dans Trim *et al.* 1973). Selon Richterich, en effet, un adulte est une personne qui désire un apprentissage efficace et rapide, utilisable immédiatement. Afin de rentabiliser l'apprentissage des langues étrangères dans le contexte d'une Europe unifiée, Richterich suggère d'essayer tout d'abord de mieux connaître les besoins d'utilisation immédiate des adultes. De cette approche émergera le concept de «besoins langagiers».

Selon Richterich, il existe deux sortes de besoins : des besoins objectifs, c'est-à-dire prévisibles et généralisables, et des besoins subjectifs, non généralisables, imprévisibles, propres à chaque individu. Seuls les besoins dits objectifs seront alors pris en compte. Dans la pratique, l'analyse des besoins en vient peu à peu à se confondre avec un inventaire des comportements langagiers mis en relation avec les circonstances dans lesquelles ils se produisent. Une des façons de déterminer les besoins langagiers d'un adulte est de préciser les situations ou les contextes de communication dans lesquels la L2 est censée être utilisée. Dans le modèle esquissé par Richterich, l'analyse des besoins langagiers va donc devenir une description des usages professionnels des diverses langues à apprendre.

Dans un second temps, les besoins langagiers sont transformés en besoins d'apprentissage, lesquels deviennent des objectifs d'apprentissage. Ce sont ces derniers qui sont alors soumis à l'évaluation (pour la place et le rôle de l'évaluation dans un cadre communicatif, voir l'ouvrage de Lussier et Turner, dans cette même collection – à paraître).

2. LES NOTIONS ET LES FONCTIONS

Avec l'approche communicative, ce sont les principes mêmes d'une sélection du contenu langagier qui sont soit mis en cause, soit modifiés, car ce ne sont plus les éléments linguistiques qui servent de critère premier de délimitation des leçons, mais bien le sens ou le message à partir des besoins langagiers. La forme linguistique passe au second rang.

Comment représenter concrètement le sens ou le message? Par quoi remplacer les formes linguistiques, en tant qu'élément premier servant, par exemple, à construire chacune des leçons d'un cours de L2? Voilà des questions qui se posent. Comme on l'a mentionné au premier chapitre, dès le début des travaux du Conseil de l'Europe, deux tendances majeures se dessinent : la priorité est accordée soit aux «notions», soit aux «fonctions». Examinons ces tendances.

Dès 1971, dans le cadre des travaux du Conseil de l'Europe, Wilkins s'attache au développement d'un système de catégories au moyen desquelles il serait possible de répondre aux besoins de communication langagière des travailleurs européens. C'est alors qu'il propose de faire la distinction entre «signification» et «usage» afin d'élaborer un programme de langue.

La signification comprend des catégories comme «fréquence», «durée», «lieu», «quantité», etc. Il s'agit de ce que Wilkins appelle les catégories sémantico-grammaticales du programme puisque le lien entre une notion et une catégorie grammaticale, du moins dans la plupart des langues européennes, est assez étroit. Ainsi, en langue anglaise, les moyens linguistiques pour exprimer la notion ou le concept de «fréquence» se limitent à quelques adverbes et à certains choix verbaux. Wilkins ajoute également ce qu'il appelle les usages de la langue, c'est-à-dire la «fonction communicative» : faire une requête, demander un renseignement, faire une invitation, etc. Dans ces cas, les fonctions n'entretiennent pas de liens directs avec les catégories grammaticales d'une langue. Par exemple, à la fonction «invitation» peuvent correspondre des énoncés aussi distincts que «aimeriez-vous + infinitif», «pourquoi ne pas + infinitif», «impératif», etc.

Ce sont donc des listes de «notions» (significations sémantico-grammaticales) et de «fonctions» qui constituent – en dépit de son appellation – le programme «notionnel» de Wilkins, qui correspond précisément au titre de son ouvrage de 1976, *Notional Syllabuses*. Un programme (en anglais «syllabus») selon Wilkins, devrait être élaboré à partir de ces deux types de catégories. Autrement dit, le «programme notionnel» de Wilkins renferme à la fois des catégories sémantico-grammaticales et des catégories de fonctions communicatives. Dans le schéma suivant, on le désigne de manière abrégée sous l'appellation «fonction» (inspiré de Salimbene 1983 : 5) :

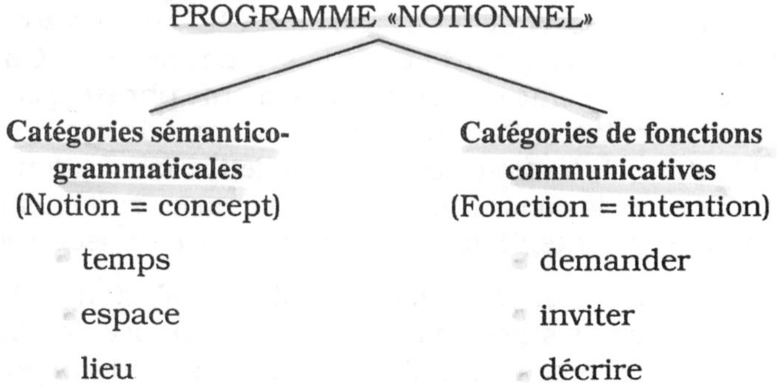

PROGRAMME «NOTIONNEL»

Catégories sémantico-grammaticales (Notion = concept)	**Catégories de fonctions communicatives** (Fonction = intention)
temps	demander
espace	inviter
lieu	décrire

Fig. 1 – Le programme notionnel de Wilkins (1976)

Le recours par Wilkins au terme générique de «notionnel» n'a pas été sans créer une certaine imprécision terminologique, d'autant plus que le terme «notion», entendu au sens étroit, a été utilisé par d'autres auteurs (Van Ek, par exemple) comme synonyme de «catégories sémantico-grammaticales», ce qui n'a fait qu'ajouter à la confusion (Johnson 1981 : 4). En ce sens, un programme «fonctionnel» comprendrait à la fois des fonctions communicatives et des notions que l'on pourrait représenter à l'aide du schéma suivant (inspiré à la fois de Johnson 1981 : 4 et de Salimbene 1983 : 5) :

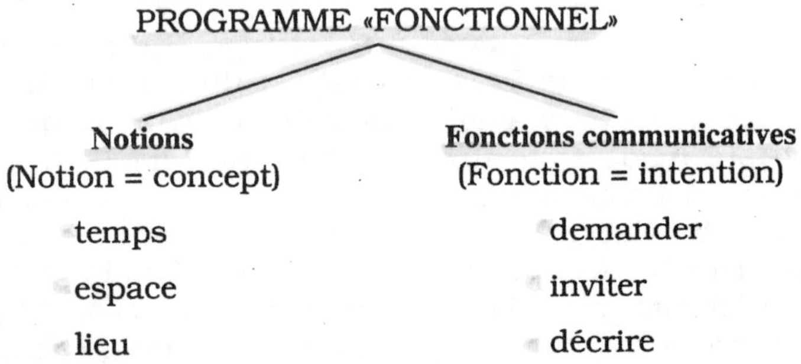

PROGRAMME «FONCTIONNEL»

Notions (Notion = concept)	**Fonctions communicatives** (Fonction = intention)
temps	demander
espace	inviter
lieu	décrire

Fig. 2 – Un programme dit «fonctionnel»

Il existe une façon d'identifier une fonction : on peut se demander quelle est l'intention du locuteur? Par exemple, compte-t-il inviter, remercier, exprimer de la sympathie, etc.? On constate ainsi qu'un même énoncé (ou une même phrase) peut avoir différentes fonctions. Par exemple, «Assure-toi de venir demain» peut illustrer l'intention de faire promettre ou de donner un ordre. Pour que la communication soit réussie, tout énoncé doit être approprié à l'intention de communication (Johnson 1981 : 5).

Par ailleurs, pour identifier une notion, il s'agit de voir quels concepts ou quelles notions renferme un énoncé comme «Assure-toi de venir demain». Par exemple, la notion «personne présente autre que le locuteur» (à cause du mot «toi»), celle de «futur» (le mot «demain»), etc. La procédure est tout à fait différente d'une analyse visant à déceler, comme précédemment, les intentions d'un locuteur et, partant, la fonction de l'énoncé. En ce sens, on peut dire que tout énoncé, sur des plans distincts cependant, contient à la fois des notions et des fonctions (Johnson 1981 : 6).

Enfin, de manière à mieux faire voir l'originalité de la position de Widdowson rapportée précédemment, on pourrait représenter de la façon suivante l'idée que celui-ci se fait d'un programme «communicatif» (schéma inspiré de Salimbene 1983 : 5) :

PROGRAMME «COMMUNICATIF»

Usage	**Emploi**
(COMMENT une idée est exprimée grammaticalement)	(CE QUI est exprimé en contexte discursif)
Notions + structure syntaxique	Fonctions dans un discours cohérent

Fig. 3 – Un programme «communicatif» selon Widdowson (1978-1981)

3. LES FONCTIONS LANGAGIÈRES

a) Dans *Un niveau-seuil*

Qu'advient-il, dès lors, du contenu langagier à enseigner dans *Un niveau-seuil*? La solution adoptée par le Conseil de l'Europe, tout d'abord dans le cas de la langue anglaise, puis pour la langue française, a été de procéder au moyen d'inventaires. Dans le cas de l'anglais, le *Threshold Level – English* (van Ek 1975) a été élaboré en visant à déterminer les éléments langagiers communs à un seul public cible : les touristes et les voyageurs. Par contre, dans le cas de *Un niveau-seuil*, pour le français (1976), cinq types de publics sont visés (Coste, dans Coste *et al.* 1976 : 47-49) :

- touristes et voyageurs,
- travailleurs migrants et leurs familles,
- spécialistes ou professionnels ne quittant pas leur pays d'origine,

- enfants et adolescents apprenant une langue étrangère dans le cadre scolaire de leur pays d'origine,
- grands adolescents et jeunes adultes dans le cadre scolaire ou universitaire de leur pays d'origine.

Un niveau-seuil pour l'enseignement du français décrit le niveau minimal de compétence de communication en L2, commun à ces types de publics. Il comprend, de fait, plusieurs inventaires distincts, non regroupés en un tout cohérent, si ce n'est un volumineux index, en fin de volume, qui suggère quelques recoupements possibles entre les éléments de chaque inventaire. Du point de vue du contenu, les inventaires proposés portent sur :

- les actes de parole,
- les objets et notions,
- la grammaire.

Suivant les experts du Conseil de l'Europe, les besoins langagiers des apprenants sont déterminés avant tout en fonction des «actes de parole» qu'ils auront éventuellement à accomplir au moment d'utiliser la L2. Par là, il faut comprendre, par exemple, «demander une information à un employé au guichet de la gare sur l'heure de départ d'un train ou adresser une requête à un subordonné dans une usine concernant la fabrication d'une pièce métallique» (Roulet 1976 : 1).

C'est ainsi que, contrairement aux méthodes qui ont précédé l'approche communicative, ce ne sont plus les structures grammaticales ou le vocabulaire qui servent à déterminer le contenu à enseigner, mais bien les besoins langagiers, formulés en termes d'actes de parole ou de fonctions langagières auxquels sont subordonnés les énoncés ainsi que le lexique et les structures linguistiques. Actes de parole et fonctions langagières sont ici synonymes.

Pour mieux voir de quoi il s'agit, il suffit de se reporter à *Un niveau-seuil* dont l'inventaire des actes de parole se présente en deux colonnes. Dans la colonne de gauche, on trouve la liste des actes de parole choisis (ou fonctions langagières); dans la colonne de droite, ce sont les diverses expressions linguistiques correspondant à chacune des fonctions langagières de la colonne de gauche. Par exemple, à «demander à autrui de faire soi-même» (colonne de gauche), qui se subdivise en «demander la parole», «demander permission» et «demander dispense», correspondent successivement les énoncés suivants dans la colonne de droite (Martins-Baltar, «Actes de parole», dans Coste *et al.* 1976 : 118-119) :

FONCTIONS LANGAGIÈRES		EXPRESSIONS LINGUISTIQUES
demander à autrui de faire soi-même		
– demander la parole		Je demande la parole. (Si vous permettez), je voudrais dire quelque chose. J'ai quelque chose à dire. Un mot seulement.
	DR :	[discours rapporté] : Il a demandé (la parole, à parler).
NB : redemander la parole après avoir été interrompu		Je n'ai pas terminé. Laissez-moi terminer. Un instant. Je ne peux pas terminer! S'il vous plaît! (s'il vous plaît!) Permettez!
	DR :	Il a redemandé la parole.

– demander permission

Je vous demande la permission de m'en aller.
(Est-ce que) je peux m'en aller (s'il vous plaît)?

Puis-je Pourrais-je Est-ce que je pourrais	m'en aller (s.v.p.)?
Me permettez-vous de M'autorisez-vous à	m'en aller (s.v.p.)?

Accepteriez-vous que je m'en aille?
Verriez-vous un inconvénient à ce que je (...)?
Puis-je vous demander (la permission) de m'en aller?
J'aimerais (bien) m'en aller.
Je voudrais m'en aller.
DR : Il lui a demandé la permission de (...).

– demander dispense

expressions [précédentes] adaptées
Est-il (vraiment) (nécessaire, indispensable) que je m'en aille?
Faut-il vraiment que je m'en aille?
Est-ce que je dois vraiment m'en aller?
Tenez-vous (vraiment) à ce que je m'en aille?
J'aimerais (bien) rester.
Je n'ai pas envie de m'en aller.
DR : Il lui a demandé la permission de ne pas (...).
de le dispenser de (...).

Fig. 4 – Exemple d'actes de parole (Coste *et al.* 1976 : 118-119)

C'est ainsi qu'à une seule fonction langagière ou «intention de communication» (comme «demander dispense») correspondent plusieurs énoncés possibles. Le choix de tel énoncé plutôt que de tel autre, précisent les auteurs, varie en fonction de différents paramètres tels le statut social et affectif des interlocuteurs, le canal (face à face, téléphone), le support (oral ou écrit), la situation plus ou moins formelle, etc.

Comme le reconnaissent les auteurs mêmes de ce volumineux document qu'est *Un niveau-seuil*, l'inventaire des actes de parole a été déterminé *a priori* (de manière intuitive) et il est général et minimal. Qu'est-ce à dire? Le contenu est *a priori* en ce sens qu'il ne découle pas d'une analyse rigoureuse des besoins langagiers des publics visés et ne s'appuie sur aucune enquête sociolinguistique. Les choix des auteurs ont été faits «à partir de leur intuition, de leur expérience et d'un minimum de concertation» (Coste *et al.* 1976 : 2). Autrement dit, c'est aux usagers mêmes de l'inventaire qu'il revient de déterminer lequel parmi les énoncés proposés est utilisé dans telle ou telle situation, en fonction du statut social des interlocuteurs. La relation entre tel énoncé et telle situation de communication n'est pas précisée. Dans l'inventaire, il faut regretter l'absence d'une troisième colonne, celle des situations de communication (lieux, interlocuteurs, etc.) dans lesquelles se réalise tel ou tel énoncé.

C'est ce qui fait que «la grammaire de l'emploi des variétés de la langue», dont Roulet dénonce l'absence peu de temps après la parution de *Un niveau-seuil* (Roulet 1976), apparaît comme une importante lacune. Depuis, plusieurs auteurs se sont penchés sur les différents facteurs susceptibles d'intervenir dans le choix d'une réalisation linguistique en fonction des situations de communication. Quelles sont les règles qui guident le choix de tel ou tel énoncé? Telle est la tâche à laquelle se sont attaquées deux chercheures de l'Université Laval, Diane Huot et Ruddy Lelouche (1991) : grâce au support informatique, identifier les variables en jeu, formuler des règles d'emploi, et hiérarchiser à la fois les variables et les règles. Soient les deux variables suivantes : le «lieu physique» (un bar, une salle de classe) et le «degré de familiarité» (familier, distant, protocolaire). Une règle d'association entre ces deux variables pourrait être : «on peut parfois être plus familier dans un bar»; d'autres exemples de règles seraient : «un professeur est supérieur à un étudiant» ou «il faut être respectueux quand on s'adresse à un supérieur» (Huot et Lelouche 1991 : 89).

L'idée est que les règles d'emploi sont implicites chez des locuteurs natifs. Mais l'apprenant de L2 ne trouve pratiquement jamais ces règles d'emploi explicitées dans les manuels mis à sa disposition. Pourtant, la connaissance de ce type de règles est essentiel pour une communication appropriée et efficace : comment savoir s'il faut dire, selon la situation de communication, «Salut, madame Tremblay» ou «Bonjour, madame Cécile»? Quelles règles l'apprenant de L2 doit-il connaître pour «saluer» adéquatement dans diverses situations (Huot et Lelouche : 87)?

Pour en revenir à *Un niveau-seuil*, le contenu est dit «général» en ce sens qu'il vise «un public potentiel majoritaire». Il ne répond donc à aucun besoin spécialisé. De plus, le contenu est «minimal» en ce sens qu'il contient les éléments en deçà desquels on ne saurait parler de véritable compétence minimale de communication. Là également «l'intuition» et «le bon sens empirique» ont servi de critères de sélection (Coste *et al.* 1976 : 2). Mais il est à se demander ce que signifie véritablement «minimal» dans ce contexte, car ce terme semble vouloir dire qu'un apprenant doit maîtriser TOUTES les réalisations langagières correspondant à une même fonction ainsi que TOUTES les fonctions énumérées dans le document pour parvenir à un seuil «minimal» de communication.

Enfin, l'inventaire ne dit rien, non plus, du contexte linguistique, c'est-à-dire des actes ou des énoncés qui précèdent et suivent dans le discours (Roulet 1976 : 13). Pour ces aspects cruciaux de la communication, les utilisateurs sont laissés à eux-mêmes. Pourtant, précise Roulet dans «Présentation et guide d'emploi» qui accompagne l'ouvrage (Roulet 1976 : 2) :

> «[...] la capacité de choisir, dans l'éventail des réalisations linguistiques, la forme la mieux adaptée à l'intention du sujet parlant [et la situation] constitue une prérogative essentielle, dont on ne saurait priver l'adulte en langue seconde, sous prétexte de lui simplifier l'apprentissage, sans courir le risque de le décourager de communiquer» (la mise en évidence, entre crochets, est de nous).

b) En milieu américain

À cette étape-ci, avant de poursuivre dans la présentation des deux autres inventaires de *Un niveau-seuil*, il n'est peut-être pas sans intérêt de souligner les idées innovatrices de Jakobovits (1970) et de Savignon (1972) «en milieu américain» sur les fonctions langagières. La très grande majorité des écrits sur la question des fonctions langagières présentent en effet les travaux du Conseil de l'Europe comme s'il s'agissait de la première véritable tentative d'élaboration d'un programme de langue fondé sur les fonctions langagières. On trouve pourtant les fondements de cette manière de procéder dans l'ouvrage de Jakobovits – et cela dès 1970 –, idées reprises et mises en application dans une classe de français langue étrangère par Savignon, dans le cadre de sa thèse de doctorat rédigée sous la direction de Jakobovits et publiée en 1972. Par exemple, dans l'ouvrage de Savignon, on trouve la liste suivante de ce qui allait par la suite être appelé «fonctions langagières» (liste inspirée de l'ouvrage de Jakobovits). Cette liste concerne ce qu'elle appelle des «tâches communicatives» et met l'accent sur «comment faire en français» (Savignon 1972 : 28 – traduction libre) :

1) «saluer :

   a) saluer un nouvel étudiant

   b) saluer un ancien professeur

   c) saluer un copain de classe que vous n'avez pas vu de l'été

d) saluer votre mère

2) quitter :

a, b, c et d comme ci-dessus

3) demander un renseignement :

a) un Américain à Chantilly veut demander comment se rendre au musée

b) demander des renseignements pour expédier une lettre

c) s'informer pour trouver le plus court chemin permettant de se rendre de Lyon à Paris

d) trouver tous les renseignements possibles concernant un nouvel étudiant français

4) donner un renseignement :

a) un nouvel étudiant français veut se rendre à la bibliothèque

b) le même étudiant veut savoir à quelle heure sont servis les repas

c) l'étudiant français vous demande ce qu'il y a à faire à Chicago

d) parler de vous-même à cet étudiant français».

De plus, d'autres situations expérimentées avec des débutants en langue française comprenaient : faire des présentations, accepter et refuser des invitations, faire des compliments, féliciter, etc. (Savignon 1972 : 29). Ces listes constituent sans aucun doute les premières listes de véritables «fonctions langagières» (avant même de recevoir ce type d'appellation). Ce sont des listes limitées bien sûr puisqu'elles n'étaient destinées qu'à l'enseignement de quelques leçons expérimentales. Il n'en reste pas moins qu'elles montrent une certaine convergence dans les conceptions américaines et européennes de ce qu'allait peu à peu devenir le communicatif, chez des auteurs qui, à l'époque, semblent ignorer leur approche respective. À cet égard, il n'est peut-être pas sans intérêt de signaler que le concept de «besoins» des apprenants est nettement pressenti chez Savignon, presque à la même époque où Richterich s'affaire, dans le cadre du Conseil de l'Europe, à en montrer l'importance. Ainsi, Savignon dit de son expérience pédagogique qu'elle ne consiste pas tant à jeter les fondements d'une nouvelle «méthode» qu'à soutenir les enseignants désireux d'adhérer à une approche de l'enseignement «qui leur paraît répondre davantage aux besoins de leurs élèves» (Savignon 1972 : 65 – traduction libre). Il y a donc de nouveau convergence, jusqu'à un certain point, au niveau d'un autre concept clé de l'approche communicative, le concept de «besoins langagiers».

4. LES OBJETS ET NOTIONS

Le dernier chapitre de *Un niveau-seuil* est consacré à un autre inventaire : «Objets et notions». Rédigé par Coste, il renvoie à la composante référentielle et lexicale d'une compétence de communication en français langue étrangère. Il s'agit d'une énumération des catégories d'objets et de notions à prendre en compte pour la réalisation des actes de parole contenus dans ce dernier inventaire. Disons, en bref, qu'il comprend un inventaire d'«objets» (voir Figure 5), de «notions générales» (voir Figure 6) et des «notions spécifiques» (voir Figure 7).

I.11. Loisirs, distractions, sports, information

I.11.4. musées, expositions (se renseigner sur expositions et musées : nature, heures d'ouverture)

I.11.6. qualifiants à propos des spectacles et divertissements (porter une appréciation globale sur un spectacle ou un divertissement)

Figure 5 – Exemple d'«objets» (Coste *et al.* 1976 : 315)

II.2. Notions désignant des propriétés et qualités

II.2.1. Existence

II.2.1.4. occurrence/non-occurrence
arriver
Il arrive qu'il soit en retard.
Qu'est-ce qui vous est arrivé?

se passer
Ça s'est passé un dimanche.

avoir lieu
La réunion n'aura lieu que demain.

II.2.2. Temps

II.2.2.2. stades du déroulement dans le temps

II.2.2.2.5. accompli récent

venir de
Il vient de se marier.
il y a un instant

Figure 6 – Exemple de «notions générales» (Coste *et al.* 1976 : 321 et 323)

III.1. Identification et caractérisation personnelles

III.1.15. quelques caractéristiques physiques

taille *grand*
petit
gros
corpulent
mince

Figure 7 – Exemple de «notions spécifiques» (Coste *et al.* 1976 : 351)

5. LA GRAMMAIRE

Dans *Un niveau-seuil*, les auteurs de la partie grammaticale ont opté pour l'élaboration d'une grammaire d'un nouveau type: une grammaire notionnelle, rédigée par Courtillon. Il s'agit d'une grammaire dont la caractéristique est de subordonner la forme linguistique au contenu à communiquer. Toutefois, le lien n'est pas fait entre fonctions langagières et contenu grammatical. Nous ne reproduisons ici qu'un seul exemple à titre d'illustration: le tableau des relations entre voix et déroulement (Courtillon, «Grammaire», dans Coste *et al.* 1976 : 247).

TABLEAU : LES LIENS ENTRE VOIX ET DÉROULEMENT
(Coste *et al.* 1976 : 247)

DÉROULEMENT / VOIX	ACCOMPLISSEMENT (spécifique)	ACCOMPLI	RÉSULTATIF	Hors déroulement	
				ÉTATIF (Acct. générique)	SUBSTANTIF
VENDRE					
Active	*Pierre vend le vin de sa récolte.*	*Pierre a vendu son vin.*		*Pierre vend du vin.* **(= est marchand de vin)**	
Passive		*Le vin a été vendu très cher.*			
Moyenne	*Le vin se vend bien en ce moment.*	*Le vin s'est bien vendu.*		*Le vin se vend au litre.*	
Attributive			*Le vin est vendu.*	*Le vin est vendu 10 fr. le litre.*	
BLESSER					
Active	*Pierre blesse Paul.*	*Pierre a blessé Paul.*			
Passive		*Paul a été blessé par Pierre.*			
Moyenne			*Pierre est blessé.*		*un blessé*

Cette grammaire ne semble pas avoir eu autant d'impact que l'inventaire des actes de parole. Cela est peut-être dû, soit à la nouveauté de l'approche, soit à la terminologie utilisée, sous l'influence de la linguistique de Guillaume et de Pottier (réalisations actancielles, détermination du procès, logique modale ou subjective, etc). Même s'il s'agit d'une grammaire à base sémantique, il se peut que les usages sociaux aient semblé trop peu explicites pour être de grande utilité dans le cadre de l'approche communicative alors naissante. Pour une première tentative d'élaboration d'une véritable grammaire sémantique qui décrit les faits de langage en fonction des *intentions du sujet parlant*, des *enjeux communicatifs* et des *effets de discours*, se référer à la *Grammaire du sens et de l'expression*, de Charaudeau (1992); pour une grammaire fondée sur des dialogues et prenant en compte l'impact pragmatique de l'interaction, se référer à la *Grammaire textuelle du français*, de Weinrich (1989).

B) L'ORGANISATION DU CONTENU

Comme le fait remarquer Roulet (1976 : 16), *Un niveau-seuil* ne contient aucune indication quant à l'établissement d'une progression des éléments à enseigner. Il s'agit d'inventaires bruts. Pour l'organisation du contenu, les responsables de programmes de langues ou les auteurs de cours sont laissés à eux-mêmes. On n'y trouve, on l'a vu, aucune règle d'organisation des inventaires proposés. Or, c'est sans aucun doute cette absence d'unité d'organisation qui explique la multiplicité d'orientations auxquelles ont donné lieu les travaux du Conseil de l'Europe. Grâce à cette souplesse, certains utilisateurs ont choisi, comme première règle d'organisation d'un cours de langue, les notions de temps, de lieu, de durée, de fréquence, etc.: ils ont alors mis au point un programme notionnel. D'autres ont préféré s'en tenir aux fonctions langagières proposées : ils ont élaboré un programme fonctionnel. D'autres encore se sont arrêtés aux sujets d'intérêt mentionnés par la clientèle visée (tels les passe-temps, l'éducation, etc.) : ils ont créé un programme de nature thématique. Enfin, certains ont plutôt été intéressés par les situations d'usage des diverses fonctions langagières : ils ont alors mis au point un programme situationnel. Chacun de ces types de programme peut être considéré comme relevant de l'approche communicative, le but visé étant l'efficacité de la communication langagière, fondée d'abord et avant tout sur l'étude des besoins langagiers des apprenants (Germain 1981b). Toutefois, dans chacun de ces cas, comment déterminer ce qui est simple et ce qui est complexe?

De plus, comme le mentionne Johnson (1981 : 9), dans certains cas ce n'est pas UNE mais plusieurs unités d'organisation qui caractérisent un programme. Par exemple, au nom de la variété pédagogique, dans certains matériels didactiques, une première série de leçons est construite autour d'unités fonctionnelles suivies d'une série de leçons thématiques.

Par ailleurs, dès les premières leçons d'un cours de langue, le nombre de situations de communication est très limité; la progression pourrait alors consister en un élargissement du nombre de situations dans lesquelles sont susceptibles de se réaliser les énoncés linguistiques retenus (Jupp *et al.* 1975-1978 : 161). Comment concilier une progression de nature fonctionnelle-notionnelle avec une progression grammaticale rigoureuse (Évrard 1991 : 43)?

À cet égard, il importe de rappeler ici les règles énoncées en 1976 par Wilkins en vue d'assurer une progression en spirale. À un premier niveau, on introduirait, dans le cadre d'une approche thématique par exemple, des notions générales, des notions spécifiques et des fonctions langagières ainsi que quelques éléments grammaticaux. À un second niveau, on présenterait les mêmes fonctions, plus quelques autres, mais en les faisant porter cette fois sur des objets différents et en présentant quelques énoncés linguistiques plus complexes. Et ainsi de suite pour les autres niveaux (Pérez 1978 : 11-12).

De l'avis de Moirand (1982 : 55), le contenu d'enseignement pourrait être réparti en trois types :

a) des répartitions *situationnelles* : suggérer des situations dans lesquelles les interactions «prévisibles» («Ce sera prêt quand?» – «Mardi soir, ça vous va?») sont présentées avant les non prévisibles (parler de la politique, de sa santé, etc. dans un restaurant);

b) des répartitions *discursives* : mettre de plus en plus d'actes dans les échanges, de plus en plus d'échanges dans l'ouverture, le développement et la fermeture d'une transaction, etc.;

c) des répartitions *pédagogiques* : à partir d'un même type de documents, proposer des tâches de plus en plus complexes, qui impliquent des activités de plus en plus diversifiées.

Dans l'ensemble, la notion de niveau-seuil ainsi conçue pose un certain nombre de problèmes. Par exemple, fait observer avec raison Roulet (1976 : 4) :

> «[...] rien ne permet d'affirmer que le niveau-seuil constitue un tronc commun, un passage minimal obligé pour tous les adultes apprenant une langue seconde; les situations de communication dans lesquelles peuvent se trouver des touristes et des travailleurs migrants sont si différentes qu'il paraît difficile, ou du moins peu économique, de satisfaire les besoins langagiers des uns et des autres à l'aide d'un tronc commun.»

Comme le niveau-seuil minimal proposé pour le français vise cinq types de publics distincts (voir en 3, Les fonctions langagières), une sélection s'impose dans l'inventaire des actes de parole et des notions proposés ainsi que dans les réalisations langagières suggérées. *Un niveau-seuil* est donc un ensemble d'inventaires qui doivent, de toute nécessité, être adaptés aux besoins langagiers identifiés pour chaque type de public visé. C'est en ce sens qu'il n'a qu'une valeur «indicative» (dans le cas de l'anglais, consulter Munby 1978).

CHAPITRE 

La conception de l'apprentissage

Après avoir passé en revue quelques questions relatives au contenu de l'enseignement/apprentissage, il importe maintenant d'aborder l'étude du sujet apprenant, avec tout ce que cela implique du point de vue des fondements psychologiques de l'apprentissage. Au cours du présent chapitre, il sera tout d'abord question des rapports entre L1 et L2, tant du point de vue des conditions que des processus d'apprentissage. Puis, seront présentées les grandes lignes de la conception de l'apprentissage sous-jacente à l'approche communicative, à savoir la psychologie cognitive. Pour mieux saisir les particularités de ce courant psychologique qui tente à l'heure actuelle de servir de fondement, bien qu'*a posteriori*, à l'approche, il convient de l'opposer à la psychologie behavioriste. Il est à remarquer que la psychologie cognitive a déjà réussi à supplanter le behaviorisme dans plusieurs domaines de l'éducation, y compris la didactique des langues. Le chapitre se terminera par un ensemble de propositions, vraisemblablement nouvelles en didactique des L2. Elles concernent la possibilité de recourir à la psychologie sociale génétique, néo-piagétienne, de manière à mieux prendre en compte le fait qu'il s'agit d'un apprentissage en milieu scolaire et non d'un apprentissage strictement individuel, comme semble le présupposer la psychologie cognitive actuelle.

A) LES RAPPORTS ENTRE L1 ET L2

On ne saurait traiter d'approche communicative sans aborder, même brièvement, la question du rôle de la Ll et de la place qu'elle occupe dans l'apprentissage de la L2. La question peut être vue sous l'angle des conditions d'apprentissage et sous celui des processus d'apprentissage.

1. LES CONDITIONS D'APPRENTISSAGE

L'étude des conditions d'apprentissage de Ll par rapport à L2 pose en fait tout le problème de l'opposition situation naturelle/ situation scolaire d'apprentissage. À cet égard, l'idée d'une situation dite «naturelle» laisse entendre que l'enfant ne serait soumis à aucune didactique. Pourtant, sans vouloir dénier l'importance accordée à l'individu en tant que principal responsable de son propre apprentissage, il reste que de nombreuses études psycholinguistiques font état du comportement foncièrement «didactique» de la mère dans la communication avec son enfant. Par exemple, la mère simplifie sa langue ou la modifie constamment afin de mieux se faire comprendre de lui, par l'emploi fréquent de pauses plus longues, le recours à un nombre minimal de phrases inachevées ou d'hésitations, etc. De plus, le recours à l'opposition situation naturelle/situation scolaire risque parfois de laisser croire que l'école ne joue aucun rôle dans le développement de la langue première de l'enfant alors que l'enfant, au moment de son arrivée à l'école, est encore loin de maîtriser parfaitement sa langue (Bautier-Castaing et Hebrard 1980 : 56).

2. LES PROCESSUS D'APPRENTISSAGE

a) La théorie de l'interférence

Lorsqu'on aborde la question des rapports entre L1 et L2 sous l'angle, cette fois, des processus d'apprentissage, on constate qu'avec la méthode audio-orale, on se raccrochait surtout à une théorie de l'interférence (développée notamment par Lado), dans le cadre de la psychologie behavioriste. On croyait alors que, d'une part, l'individu tend à transférer dans la L2 les caractéristiques de sa L1 et que, d'autre part, ce qui est semblable est facilement transféré alors que ce qui est différent donne lieu à une interférence ou un transfert négatif. Ce sont ces transferts négatifs qui seraient la principale source des erreurs d'un apprenant de L2 (d'après Porquier, dans Besse et Porquier 1984 : 201). Tel est le cas, par exemple, de l'anglophone qui dit en français «Je suis fini» au lieu de «J'ai fini», sur le modèle de «I am finished». C'est ce qui fait qu'une bonne partie de la tâche des élaborateurs de matériel didactique de L2 consistait à prévoir, en quelque sorte, les effets d'un transfert négatif, par la création de nouveaux automatismes linguistiques, grâce à de nombreux exercices de répétitions de la nouvelle structure. Dès lors, l'enseignant devait surtout corriger systématiquement toute erreur portant sur la forme linguistique. C'est cette théorie de l'interférence qui est à la base de l'analyse contrastive *a priori* (ou différentielle) des deux langues : la langue source et la langue cible.

Mais lorsque l'hypothèse du transfert a été soumise à la vérification empirique, il est vite apparu que, d'une part, certaines erreurs prévues par l'analyse ne se produisaient pas dans les faits et, d'autre part, bon nombre d'erreurs, sur le plan syntaxique notamment, ne pouvaient être expliquées par un simple effet de transfert de L1 à L2. À cet égard, les recherches empiriques de Dulay et Burt (1974) ont grandement contribué à jeter un doute sur la validité de la théorie de l'interférence en syntaxe, à l'époque même où furent jetées, par ailleurs, les bases de l'approche communicative. La façon dont intervient la L1 dans le processus d'apprentissage d'une L2 était donc mise en cause. De nouvelles hypothèses sur la contribution de la L1 à l'apprentissage d'une L2 ont commencé à être émises. Par exemple, il n'y a peut-être pas toujours transfert des règles de L1 à L2. Il se pourrait également que l'apprenant recoure à sa L1 de manière très positive, sous forme d'emprunts. On peut donc dire qu'au milieu des années 1970 la voie était ouverte pour adopter une nouvelle perspective concernant le rôle de la L1 dans l'apprentissage d'une L2.

b) L'interlangue

Plusieurs avenues étaient possibles. Une des hypothèses alors émises fut celle de la ressemblance entre L1 et L2, du point de vue des stratégies de l'apprenant. C'est l'hypothèse L1 = L2 qui a été investiguée suivant deux grandes orientations (Ellis 1986 : 8). L'une, prise par Corder, concerne «l'analyse d'erreurs», mentionnée dans un important article paru en 1967, «The significance of learners' errors», article traduit en français en 1980 sous le titre «Que signifient les erreurs des apprenants?». À partir de l'examen de corpus, plusieurs erreurs produites par les apprenants ont alors été analysées afin d'en déterminer la provenance. Les erreurs sont-elles dues à une interférence de la L1, à une simplification grammaticale ou à une sorte de surgénéralisation des règles que l'apprenant fabrique dans sa tête au fur et à mesure qu'il apprend?

D'après différentes études, il ressort que les erreurs provenant d'une surgénéralisation seraient de même nature que les erreurs produites par les enfants lorsque ceux-ci apprennent leur L1. Par exemple, l'enfant qui dit, au moment d'apprendre sa L1, «ils sontaient là», ne fait qu'appliquer à un verbe irrégulier (le verbe «être») le mode de formation de l'imparfait des verbes réguliers, suivant le processus de l'analogie :

il marche ~ ils marchaient;

ils sont ~ ils sontaient.

Ce type d'erreur se retrouve dans l'apprentissage d'une L2, d'où l'idée que le processus d'apprentissage d'une L2 serait identique à celui d'une L1. C'est ce qui a conduit d'autres chercheurs à comparer les erreurs que font les enfants lorsqu'ils apprennent leur L1 et les erreurs faites par des apprenants de L2, dans le cadre d'études longitudinales, examinant le mode d'apprentissage sur plusieurs mois, parfois même sur quelques années afin d'en voir l'évolution (comme les recherches de Hatch 1978).

Au cours de l'apprentissage, l'enfant ou l'adulte formulerait des hypothèses sur la langue cible à partir des données linguistiques qu'il perçoit. C'est ce processus de formulation et de vérification d'hypothèses – de façon inconsciente – qui conduirait à l'élaboration d'une série de grammaires transitoires, ou systèmes intermédiaires indépendants (Nemser 1971; Selinker 1991), que l'on appelle «interlangues». L'interlangue se définit comme une sorte de grammaire ou de langue transitoire, qui posséderait à la fois des caractéristiques de la L1 et des caractéristiques de la L2, mais qui constituerait quand même une sorte de grammaire autonome régie par ses propres règles. Apprendre une L2 consisterait en une construction graduelle d'une série d'interlangues, dont les règles se rapprocheraient continuellement des règles de la langue cible. Dans cette perspective, les erreurs ne sont plus vues comme une source d'inhibition, mais comme la manifestation de stratégies d'apprentissage.

Toutefois, lorsque les erreurs persistent, il y a alors «fossilisation» des erreurs. Il est intéressant de faire remarquer que l'on trouve la même situation chez les migrants qui, une fois atteint un certain seuil de compréhension, en arrivent à ne plus se perfectionner sur le plan de la forme linguistique : «Les progrès se bloquent sur un «plateau» (stabilisation du système, fossilisation du parler) lorsque l'instrument de communication est suffisant; la communication passe à peu près, l'entourage ne réagit plus» (de Heredia 1983 : 112). C'est que les préoccupations linguistiques des travailleurs migrants visent tout simplement un minimum d'efficacité dans la communication.

En milieu scolaire, lorsqu'il y a production d'une erreur, il n'est pas toujours facile de déterminer avec certitude s'il s'agit d'une interférence de la L1 (erreur interlinguale) ou d'une erreur due aux stratégies d'apprentissage de la L2 (erreur intralinguale). Par exemple, dans le cas de l'énoncé *The childs are playing...*, produit par un francophone apprenant l'anglais, il est possible que la forme erronée provienne d'une surgénéralisation de la règle de la formation du pluriel (en *-s*); on serait alors en présence d'une erreur intralinguale. Par ailleurs, il n'est pas impossible que l'erreur provienne d'une influence de la L1, en l'occurrence le français, dont le pluriel du nom *enfant* n'est pas une «exception», comme c'est le cas en anglais (Bibeau 1983 : 44). Compte tenu de la difficulté d'interprétation des erreurs, on comprend que le pourcentage des erreurs attribué à la L1 d'une part, et à l'influence de la L2 sur elle-même d'autre part, varie considérablement selon les auteurs. Pour certains, seulement 5 % environ des erreurs syntaxiques seraient attribuables à des interférences de la L1 (Dulay et Burt 1974); pour d'autres, près de 90 % des erreurs seraient dues à des interférences de la L1 (Terrell, Gomez et Mariscal 1980).

Même si l'hypothèse de l'interlangue «ne s'appuie pour l'instant que sur des faits superficiels, sur des comparaisons générales et sur des descriptions sommaires» (Bibeau : 49), il n'en reste pas moins qu'elle a permis de remettre en cause, au moins partiellement, la théorie du transfert et l'idée que toute erreur serait néfaste pour l'apprentissage. Il n'est pas impensable que lors de l'acquisition des sons d'une L2 (domaine de prédilection des analyses contrastives) les erreurs dues à l'interférence de la L1 soient nombreuses, mais que pour l'acquisition des structures syntaxiques (domaine de prédilection des chercheurs ayant plutôt opté pour l'hypothèse de l'interlangue) les erreurs intralinguales soient plus fréquentes. Quoi qu'il en soit, de nos jours les chercheurs ont tendance à croire que l'erreur est inévitable et qu'elle nous renseigne jusqu'à un certain point sur le processus d'apprentissage de l'élève.

À ce propos, on se rappellera que le mouvement communicatif a pris naissance dans une perspective résolument sociolinguistique. Lorsque les résultats de recherches empiriques sur le concept d'interlangue ont commencé à se répandre dans les milieux de l'enseignement des langues, le terrain avait, en quelque sorte, été bien préparé par les nombreuses discussions sur l'approche communicative. L'hypothèse de l'interlangue arrivait à point en répondant à un besoin pédagogique des enseignants de L2 (Brumfit 1987 : 8).

c) L'ordre d'acquisition des structures linguistiques

Grâce aux résultats des travaux menés soit dans le cadre de l'analyse d'erreurs, soit dans le cadre d'études longitudinales, les spécialistes de la question en sont venus à penser qu'il existerait une sorte de séquence «naturelle» dans le développement d'une L2, fondée sur une grammaire dite «universelle» (l'influence de Chomsky est assez marquante dans cette formulation). Selon certains chercheurs, par exemple, dans le cas des morphèmes grammaticaux de l'anglais, l'ordre serait le suivant :

1. le progressif (*-ing*), le pluriel (*-s*) et la copule (*be*);
2. l'auxiliaire et l'article (*a, the*);
3. le passé irrégulier des verbes (*came*; *went*);
4. le passé régulier des verbes, la 3e personne du singulier (*-s*) comme dans *she dances* et le possessif (*-'s*) comme dans *It is Nancy's glove*.

Toutefois, les études menées par des chercheurs différents n'aboutissent pas toujours aux mêmes conclusions, de sorte que l'on ne s'entend toujours pas sur UN «ordre» d'acquisition des morphèmes grammaticaux de l'anglais. On ne saurait dire, à l'heure actuelle, s'il y a effectivement un ordre «universel» (et inné) mais «il est tout à fait plausible que, dans des circonstances naturelles d'acquisition, un certain nombre de morphèmes grammaticaux soient acquis avant les autres» (Bibeau : 57). Il s'agit donc, là encore, d'une approche qui conçoit l'apprentissage d'une L2 comme un processus créatif, qui met l'accent sur le rôle majeur joué par les mécanismes internes, ce qui contraste avec la méthode audio-orale qui considérait surtout les stimuli extérieurs à l'individu comme responsables de l'apprentissage.

3. L'ATTITUDE DES ENSEIGNANTS VIS-À-VIS DE L'ERREUR

Sur le plan des applications pratiques, l'attitude des enseignants vis-à-vis de l'erreur sera peu à peu modifiée. L'erreur étant maintenant considérée comme un processus «normal» d'apprentissage, voire nécessaire, elle est vue de façon plutôt positive, comme un indice susceptible de renseigner l'enseignant (ou le chercheur) sur les phases du développement de la L2 de l'apprenant. Il en résulte désormais une attitude de grande tolérance vis-à-vis de l'erreur. Pour Calvé, l'enseignant de L2 devrait adopter la règle de conduite suivante : «Corrigeons ce qu'on croit que l'étudiant *aurait pu* éviter ainsi que ce qu'on le croit *prêt* à absorber, c'est-à-dire à intégrer à son interlangue» (Calvé 1991 : 26 – les italiques sont de l'auteur).

Les recherches sur l'erreur ont cependant donné lieu à une attitude extrémiste. Selon certains, aucune erreur ne doit être corrigée. Cela risquerait, croient-ils, de nuire à l'apprentissage, d'en bloquer le mécanisme. Ce type d'attitude a d'ailleurs été renforcé ou alimenté par la popularité d'une autre approche, l'approche dite «naturelle», dont les fondements psychologiques ont été mis au point par Krashen et dont les applications pédagogiques ont été faites par Terrell.

L'approche naturelle de Krashen-Terrell (1983) est originale sous plusieurs aspects, comme, par exemple, ses hypothèses sur la distinction entre acquisition et apprentissage, sur le rôle du «moniteur» ou mécanisme interne de contrôle de la langue, ou encore sur l'importance de ne pas corriger les erreurs de l'apprenant, etc. Par ailleurs, comme elle présente quelques affinités avec l'approche communicative quant aux buts communicatifs visés et quant à certains moyens pédagogiques utilisés à cette fin, certains n'en ont retenu que cette idée qu'il pourrait être toujours néfaste de corriger les erreurs de l'apprenant; cela équivalait à transposer dans le domaine de l'approche communicative un principe qui découlait, de fait, d'une autre approche. Aucun des fondements psychologiques de l'approche communicative ne permet en effet de conclure que, sur le plan pratique, les erreurs ne doivent jamais être corrigées. Il n'en découle qu'une plus grande attitude de tolérance vis-à-vis de l'erreur. Ce qui est tout autre chose.

B) LA PSYCHOLOGIE COGNITIVE

Selon le modèle cognitiviste, et contrairement aux enseignements de la psychologie behavioriste, acquérir une L2 ne consiste pas tout simplement à créer un ensemble d'habitudes sous forme d'automatismes linguistiques ou à imiter des énoncés déjà entendus dans le cas de la production orale. Une langue est plutôt vue comme un ensemble de concepts abstraits ou de règles permettant de comprendre et de produire de nouveaux énoncés, jamais entendus ou produits auparavant, dans de nouvelles situations. Le rôle actif de la pensée est ainsi mis en valeur; l'individu joue un rôle crucial dans son propre apprentissage (Tardif 1992 : 28-31).

La question qui se pose est donc celle des processus cognitifs mis en jeu dans l'acquisition d'une L2. Pour la plupart des cognitivistes, le processus fondamental est celui de la formation d'HYPOTHÈSES (et non d'HABITUDES comme on le croyait autrefois) concernant la nature d'une L2. L'apprenant de L2 forme des énoncés sur la base de ses hypothèses. C'est la rétroaction – ou «feedback» – des interlocuteurs (professeurs, autres apprenants, locuteurs natifs) qui est alors le plus susceptible de le renseigner sur la validité de ses hypothèses (Seliger 1983 : 248). De plus, comme il semble que les hypothèses soient faites à partir des connaissances déjà acquises, conservées en mémoire, on comprend l'intérêt des cognitivistes pour les théories du traitement de l'information, empruntées au domaine de la cybernétique. Ces théories se sont peu à peu intégrées au courant cognitiviste s'intéressant à l'apprentissage. Il existe d'ailleurs plusieurs tentatives d'adaptation de la psychologie cognitive du traitement de l'information au domaine des L2 (McLaughlin 1987) : par exemple, le modèle de Bialystok (1978; 1990) et la théorie de l'apprentissage de McLaughlin, Rossman et McLeod (1983).

Selon ce courant de pensée, les connaissances déjà acquises ainsi que la mémoire occupent une place de plus en plus importante dans l'apprentissage (Tardif 1992). Le rappel n'est plus vu simplement comme la réactivation de traces laissées en mémoire, mais bien comme une nouvelle réorganisation des connaissances déjà en place, sur la base des traces laissées par une activité mentale produite dans le passé (Gaonac'h 1987 : 108). En effet, après avoir reçu de l'information à partir du milieu extérieur, sous forme par exemple de sons ou d'images, l'apprenant traite l'information reçue dans sa mémoire sensorielle : il s'agit de sélectionner l'information et de l'acheminer dans sa mémoire à court terme. L'information est alors codée, c'est-à-dire transformée au moment d'être intégrée à l'information déjà en mémoire. Une fois dans la mémoire à long terme, l'information peut être réutilisée. Le processus d'apprentissage est donc défini en trois étapes : mémoire sensorielle, mémoire à court terme et mémoire à long terme. Apprendre consiste moins à réagir à des stimuli qu'à résoudre des problèmes (Duquette 1989 : 28). L'apprentissage d'une L2 serait donc un processus plus créateur que ne le croyaient les tenants de la méthode audio-orale. Il s'agirait d'un mécanisme soumis beaucoup plus à des mécanismes internes qu'à des facteurs externes.

C) L'ORDRE ET LE RYTHME D'ACQUISITION

En dépit de l'intérêt certain que présentent ces modèles et ces conceptions, il reste qu'en mettant ainsi l'accent sur les aspects cognitifs de l'acquisition (la distinction entre acquisition et apprentissage n'est pas prise en considération tout au long de l'ouvrage – l'allusion à la distinction de Krashen mise à part), les travaux de recherche œuvrant dans ce cadre négligent le phénomène de la variabilité linguistique (Ellis 1986 : 71-72). En effet, comment rendre compte du fait qu'à certains moments un apprenant recourt à telle règle, alors qu'à un autre moment il recourt à telle autre règle? L'hypothèse d'un ordre «naturel» de développement du langage peut difficilement rendre compte de ce phénomène. De plus, ce genre d'hypothèse néglige les différences entre individus, alors que plusieurs études montrent des différences considérables dans la façon dont certains individus apprennent une L2. Pour rendre compte de ces aspects de la variabilité, Ellis fait la distinction entre l'ORDRE d'acquisition et le RYTHME d'acquisition d'une L2.

Selon Ellis, l'âge, l'aptitude, la personnalité ou même la motivation n'affecteraient pas la séquence «naturelle» d'acquisition d'une L2. Ce sont des variables qui interviendraient plutôt sur le rythme et sur la quantité d'éléments d'acquisition d'une L2, c'est-à-dire sur le fait qu'un élève apprend plus vite qu'un autre une L2, l'ordre d'acquisition des éléments grammaticaux étant sensiblement le même chez deux individus de même langue maternelle. Autrement dit, si l'ordre d'acquisition des éléments grammaticaux suit effectivement un ordre prédéterminé, on comprend mieux que des apprenants n'arrivent pas à maîtriser certains éléments grammaticaux, en dépit des efforts de l'enseignant; c'est que les apprenants ne maîtrisent pas les structures grammaticales préalables. Pour reprendre l'exemple précédent, le possessif *-'s* ne saurait être généralement acquis, sauf exception, avant la forme progressive en *-ing*.

D) LA PSYCHOLOGIE SOCIALE GÉNÉTIQUE

Ainsi, dans la perspective cognitiviste qui a cours à l'heure actuelle en psycholinguistique appliquée à l'apprentissage d'une L2, l'interaction sociale, sous la forme d'échanges langagiers entre élèves par exemple, est relativement négligée, l'accent étant mis sur les processus internes. À cet égard, les références au constructivisme piagétien[1] susceptibles d'aboutir à la constitution d'un modèle d'acquisition compatible avec l'approche communicative ne peuvent qu'étonner : «le formalisme du modèle piagétien [...] intègre bien mal le rôle des interactions de langage dans le développement de celui-ci» (Gaonac'h 1988 : 84). Tant dans la perspective de la psychologie cognitive que dans celle de la psychologie génétique de Piaget, l'interaction sociale semble être tout simplement considérée comme un processus favorisant le déclenchement de mécanismes internes, sans plus.

Pareille conception des relations entre les facteurs sociaux et les processus internes d'apprentissage relève, de fait, d'une conception individualiste du développement cognitif. Tel est donc le reproche que l'on peut faire, tant aux tenants de la psychologie piagétienne qu'à ceux de la psychologie cognitive individuelle. Les variables sociales jouent tout simplement le rôle de facteurs externes, qui évoluent parallèlement aux structures cognitives internes. Le mécanisme susceptible de rendre compte de la construction du savoir reste d'ordre proprement individuel.

1. LE MODÈLE INTERACTIONNISTE

Pour adopter une conception véritablement interactionniste de l'apprentissage, il faudrait passer d'une psychologie bipolaire (sujet-objet) à une psychologie tripolaire (sujet-autrui-objet), suivant la formulation de Moscovici (1970). Dans cette nouvelle perspective, les interactions sociales entre élèves, par exemple, serviraient d'éléments déclencheurs des constructions cognitives individuelles. Il ne s'agirait donc plus tout simplement de

---

[1] Théorie psychologique de Jean Piaget, suivant laquelle la connaissance ne s'acquiert pas par addition d'éléments mais se construit par une interaction entre le sujet connaissant et l'environnement suivant certains stades précis de développement : la période sensori-motrice (de 0 à 18-24 mois), la période pré-opératoire (de 2 à 7 ans), la période des opérations concrètes (de 7-8 ans à 11-12 ans) et la période des opérations formelles (de 11-12 ans à 15 ans).

facteurs externes dont l'évolution serait parallèle aux structures cognitives. Au contraire, ce seraient ces facteurs externes – les interactions sociales – qui seraient directement responsables (en tant que variables indépendantes) des constructions individuelles du savoir (les variables dépendantes).

Il s'agit là d'une intéressante hypothèse, déjà formulée par les promoteurs d'une psychologie sociale génétique, néo-piagétienne, qui rejoint les intuitions passées du psychologue Vygostsky. Citons parmi ces promoteurs Doise et Mugny (1981), Mugny (1985), Perret-Clermont (1979), Schubauer-Leoni et Perret-Clermont (1985). Toutefois, même si la psychologie sociale génétique a déjà été explorée dans le domaine de la didactique des mathématiques et des sciences, elle n'a encore fait l'objet, semble-t-il, d'aucune tentative d'application dans le domaine de l'acquisition d'une L2.

En se plaçant dans le cadre d'une véritable psychologie sociale génétique, c'est-à-dire dans une perspective néo-piagétienne, on en arriverait peut-être à mieux saisir les liens complexes entre les processus cognitifs et l'interaction sociale, entre les mécanismes psychologiques internes et les mécanismes sociaux externes. Cela permettrait vraisemblablement de mieux rendre compte de la distinction, admise par la plupart des psycholinguistes, entre l'«input», c'est-à-dire l'apport langagier fourni par un interlocuteur et l'«intake», c'est-à-dire ce qui est effectivement retenu et saisi parmi l'ensemble des données de l'«input».

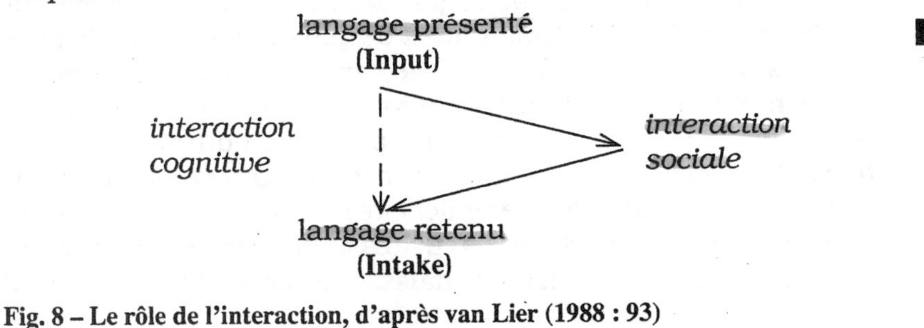

Fig. 8 – Le rôle de l'interaction, d'après van Lier (1988 : 93)

Comme le laisse entendre van Lier (1988), l'interaction sociale est peut-être ce qui permet d'augmenter la quantité et la qualité de l'«intake», ce qui sert de médiation entre l'«input» (le langage présenté) et l'«intake» (le langage saisi).

2. LA PSYCHOLOGIE SOCIALE GÉNÉTIQUE ET LA DIDACTIQUE DES L2

Qu'il s'agisse de psychologie sociale génétique ou de toute autre orientation psychologique, il convient de rappeler qu'on ne saurait appliquer directement ces données à la didactique des L2. C'est que les buts de la recherche en psychologie et les buts de l'action didactique sont différents. Dans le premier cas, il s'agit d'étudier les structures cognitives qui se situent au-delà des savoirs propres à chaque discipline, alors que dans le deuxième, il s'agit au contraire de s'intéresser au développement de concepts, d'habiletés, d'attitudes, etc. qui sont propres à chaque discipline.

À cet égard, dans le domaine de la didactique des L2, les interactions sociales sont peut-être une condition nécessaire mais non suffisante pour assurer le déclenchement d'une élaboration cognitive. Il se pourrait que la nature de la tâche didactique (une résolution de problème, un écart d'information à combler, une discussion, un débat, etc. – comme on le verra plus loin) joue un rôle déterminant dans l'élaboration d'une compétence de communication.

Par ailleurs, il se pourrait aussi que les interactions sociales d'une part, et les processus cognitifs d'autre part, ne soient que les deux aspects complémentaires de deux types particuliers de connaissance : la connaissance «déclarative» (*knowing what*) – le savoir mis en mémoire, comme le vocabulaire connu, les structures syntaxiques – et la connaissance «procédurale» (*knowing how*) – le savoir-faire, c'est-à-dire la connaissance des opérations à maîtriser pour utiliser avec efficacité le savoir. La connaissance procédurale se rapporte aux activités et aux processus d'acquisition et d'usage de la L2; la connaissance déclarative fait surtout référence à la connaissance de la langue elle-même et de ses règles (Ellis 1986). Il se pourrait que la façon dont un apprenant organise les connaissances dans la mémoire ait un effet sur la facilité d'y accéder ultérieurement.

Mais, dans le domaine de l'acquisition d'une L2, même la partie de la connaissance désignée comme étant la «connaissance déclarative» est peut-être de nature différente de la connaissance des concepts que l'on trouve dans le domaine des mathématiques et des sciences. C'est que, lors de l'acquisition d'une L2, contrairement à ce qui se produit pour les mathématiques ou les sciences, il ne faut pas renoncer à ses propres connaissances antérieures, c'est-à-dire à sa connaissance de la L1. Il faut plutôt viser à acquérir une nouvelle «vision du monde», sans que la vision qui nous est déjà donnée par notre langue maternelle soit détruite (Germain 1981a; 1983). Il y a là, en tout cas, un phénomène propre à l'acquisition d'une L2 dont il faudrait tenir compte lorsqu'il s'agit de recourir à des théories psychologiques susceptibles de rendre compte de l'apprentissage d'une L2.

À l'heure actuelle, on ne sait toujours pas si les interactions sociales sont susceptibles de contribuer surtout au développement des concepts linguistiques plutôt qu'à celui des habiletés langagières. En somme, avant l'avènement de l'approche communicative, la psychologie behavioriste sous-jacente à la méthode audio-orale américaine accordait une importance extrême aux facteurs de l'environnement extérieur (sous la forme de stimuli) dans l'apprentissage d'une L2. Le rôle des mécanismes internes de l'apprenant était totalement négligé : l'apprentissage n'était vu que comme une réaction ou un réflexe, à la suite d'un stimulus extérieur. Coïncidant avec l'avènement de l'approche communicative, le courant cognitiviste a adopté, à l'inverse, une position qui met cette fois l'accent sur les mécanismes internes, sur l'activité organisatrice du sujet apprenant, au détriment même des facteurs externes, dont le rôle semble quelque peu négligé.

Depuis quelques années commence à poindre, dans le domaine de l'éducation en général, une tendance interactionniste qui vise à rétablir un certain équilibre entre l'apport des mécanismes internes et l'influence des mécanismes externes sous la forme non plus de stimuli, mais d'interactions sociales entre apprenants. Il s'agit, en somme, de tenir compte des particularités de l'apprentissage en milieu scolaire, par exemple, de l'importance des interactions sociales entre apprenants. Dans cette ligne de pensée, le point de vue d'Ellis est intéressant parce qu'il fait une importante distinction entre l'ordre d'acquisition qui serait en quelque sorte prédéterminé (et sur lequel, par conséquent, les facteurs externes ne joueraient pratiquement aucun rôle) et le rythme d'acquisition, susceptible de varier sous la pression de phénomènes externes. Parmi les facteurs externes susceptibles de contribuer au rythme et à la quantité d'apprentissage d'une L2, il a été surtout question des interactions sociales qui ont récemment été mises en valeur par les tenants de la psychologie sociale génétique néo-piagétienne, mais dont on ne trouve à l'heure actuelle aucune tentative d'application à l'acquisition d'une L2. Il y a donc là tout un domaine de recherche qui reste à explorer.

CHAPITRE 5

LA CONCEPTION DE L'ENSEIGNEMENT

Au cours des chapitres précédents ont été successivement abordées, dans le cadre de l'approche communicative, un certain nombre de questions en rapport avec la conception de la langue et de la culture (chapitre 2), en rapport avec les modes de sélection et d'organisation du contenu (chapitre 3) et en rapport avec la conception de l'apprentissage (chapitre 4). Il convient maintenant d'aborder la question de la conception de l'enseignement. Notre démarche va donc du «quoi enseigner/apprendre», au «comment apprendre», puis au «comment enseigner». C'est ainsi que, dans un premier temps, sera présenté le concept d'authenticité puis, dans un deuxième temps, trois conceptions apparentées concernant les caractéristiques d'une méthodologie propre à l'approche communicative (deux de source américaine et une de source britannique). De plus, il sera question, plus spécifiquement, de diverses modalités d'interaction sociale en classe de L2, en recourant cette fois aux données disponibles de la recherche empirique afin d'en apprécier les effets sur l'apprentissage. Dans un dernier temps, on abordera succinctement le problème de la formation des enseignants. Il faut cependant préciser, de prime abord, que la didactique des L2 (ou mieux la didactologie, c'est-à-dire l'étude systématique de l'activité d'enseignement/apprentissage des langues et des cultures) n'est toujours pas dotée d'une seule théorie de l'enseignement, comme c'est le cas pour l'éducation en général, qui dispose de plusieurs théories de l'apprentissage. Or, il est permis de croire que seule une théorie de l'enseignement, fondée sur de solides recherches empiriques, pourra éventuellement mettre un peu d'ordre dans le domaine confus qu'est l'étude de l'enseignement. Pour le moment, à défaut de théorie de l'enseignement des L2, il faudra donc se rabattre sur les quelques données éparses dont on dispose ici et là dans le domaine, sans plus.

A) L'AUTHENTICITÉ DANS LA CLASSE DE L2

Un des concepts clés de l'approche communicative est sans aucun doute celui de l'authenticité, qui a fait l'objet de plusieurs débats et tentatives de définition au cours des quinze dernières années. Ce qui est frappant quand on se penche sur les grandes étapes de l'évolution de l'approche communicative, c'est le fait que dans les écrits portant sur l'authenticité, il n'est à peu près jamais question de l'un des premiers textes qui paraît avoir été écrit sur la question, à savoir l'introduction à l'ouvrage de Savignon, introduction rédigée par Jakobovits, ainsi que l'ouvrage même de Savignon qui cherche à définir les conditions d'une authenticité en classe de L2. Les sept pages de l'introduction sont intitulées «Authenticity in FL [Foreign Language] teaching» et ont pourtant été écrites dès 1972.

Or, fait à noter, les premiers écrits sur l'authenticité, postérieurs aux textes de Jakobovits et de Savignon, traiteront surtout du «document authentique» défini, vraisemblablement sous l'influence du *Dictionnaire de didactique des langues* de Coste et Galisson (1976), comme tout document qui n'a pas été expressément conçu pour être utilisé en salle de classe, tel un éditorial de journal, un bulletin de météo, etc. Il faudra attendre encore quelques années avant que certains chercheurs et théoriciens en viennent à se pencher de nouveau sur la question de l'authenticité des interactions en classe de langue, à la manière dont Jakobovits et Savignon avaient déjà abordé la question.

Dans son introduction, Jakobovits (1972) insiste tout d'abord sur le manque d'authenticité de la classe de L2, qui ne consiste qu'en un environnement artificiel, non naturel, qui diffère complètement du milieu dans lequel l'enfant apprend sa langue maternelle. Dans ce dernier cas, la facilité de l'apprentissage s'explique par le fait que la langue à apprendre a des visées communicatives. Partant de cette prémisse, Jakobovits pose alors la question, à laquelle tout l'ouvrage de Savignon tentera de répondre expérimentalement par l'affirmative : Est-il possible de rendre authentique l'apprentissage d'une L2 en milieu scolaire? Par «authenticité de la salle de classe», Jakobovits veut dire toute interaction orale véritablement produite en classe à des fins de communication et non tout simplement comme prétexte à l'apprentissage de la langue (*for real* par opposition à *pretend*). Comme exemples d'activités non authentiques, l'auteur mentionne les exercices structuraux, les dialogues préfabriqués, les échanges questions-réponses, les répétitions, les corrections, les tests, etc. (Jakobovits 1972 : 2). Autrement dit, précise Jakobovits, des activités non authentiques sont des activités scolaires qui ne se trouvent que rarement dans un environnement naturel. Bien sûr, chacun sait, poursuit Jakobovits, que la très grande majorité des questions posées par un enseignant ne sont en définitive qu'un prétexte pour faire pratiquer ou répéter telle ou telle forme linguistique. Là n'est pas la question. La question importante est que l'on a rarement pris en considération les implications de ce phénomène. Par exemple, sur le plan du type de pratiques offertes en salle de classe, on arrive rarement à reproduire les conditions de l'environnement de la vie réelle, de sorte que l'apprenant a peu d'occasions d'être placé dans de véritables conditions d'échanges langagiers.

La tentative de Savignon (1972) consiste précisément à vérifier s'il ne serait pas possible de créer dans la classe de L2 des conditions authentiques d'apprentissage, calquées sur la façon dont se produisent, en milieu naturel, les interactions verbales et cela, dès le tout début d'un cours pour débutants de français langue étrangère. Le contexte social d'interaction suggéré par Savignon se veut le moins artificiel possible : par exemple, débit rapide, demande d'informations dont la réponse n'est pas connue, hésitations, reprises, absence de correction de la part de l'un des interlocuteurs, etc., le tout pouvant se dérouler souvent majoritairement dans la langue première des apprenants, l'anglais. La plupart des activités dites de «transposition» à des fins personnelles, que l'on trouvait jusque-là aux niveaux avancés, sont suggérées, *mutatis mutandis*, au niveau même des débutants, de manière à permettre aux apprenants de prendre des risques avec la langue, avant même d'être assurés d'en maîtriser parfaitement les structures.

Cependant, force est de reconnaître que, quelques cas mis à part, le «comment» enseigner de manière communicative a beaucoup tardé à venir (c'est la seconde contribution à laquelle faisait allusion Stern, comme on l'a vu au cours du premier chapitre : l'apport d'ordre pédagogique). Il faut attendre le début des années 1980 pour voir apparaître les premiers textes consacrés à ce que les Britanniques désignent alors comme la «méthodologie communicative» (Morrow 1981 : 59). Pédagogiquement, la question qui se pose est la suivante : Quelle est la nature des rapports entre des activités portant sur les formes linguistiques et des activités «authentiques» centrées sur le message langagier? Autrement dit, est-il encore possible, dans un cadre communicatif, de faire apprendre D'ABORD les formes linguistiques puis, dans un second temps, d'en faire apprendre l'utilisation, en devançant tout simplement cette seconde étape (par rapport à la méthode audio-orale où cette étape venait très tard)?

Comme le fait observer Morrow (1981 : 65-66), il est logiquement possible de séparer ces deux aspects de l'apprentissage d'une L2, mais, pédagogiquement, est-ce possible? Est-ce même souhaitable? Dans quelles conditions serait-il préférable d'enseigner simultanément les formes et les emplois de la langue, alors qu'une solution apparemment plus facile consiste à faire pratiquer des formes apprises auparavant? Peut-on combiner les deux façons de procéder? Dans quelles conditions et au nom de quels principes? Y a-t-il des situations, demande Morrow, dans lesquelles il vaudrait mieux laisser de coté la communication pour se concentrer sur les formes de la langue? À première vue, pareille problématique pourrait sembler relever du programme, mais en fait, il s'agit d'une question cruciale sur le plan de la présentation, concernant le «comment» enseigner (Morrow 1981 : 66). La méthodologie communicative pose de fait un problème crucial, qui ne semble toujours pas, jusqu'ici, avoir trouvé de réponse satisfaisante.

B) LES TYPES D'ACTIVITÉS PÉDAGOGIQUES, DANS UNE PERSPECTIVE COMMUNICATIVE

En ce qui concerne les activités proprement pédagogiques de la classe de L2, dans une perspective communicative, force est de reconnaître qu'il existe une très grande variété de types d'exercices et d'activités (la didactique des L2 ne disposant toujours pas d'une théorie de l'enseignement qui permettrait vraisemblablement de mieux organiser les données). Compte tenu de cette diversité, il a donc fallu faire des choix, relativement arbitraires. Dans les circonstances ne seront rapportées ici que trois classifications des types d'exercices, classifications proposées par trois auteurs reconnus dans le domaine : Rivers, Paulston et Littlewood.

1. LA CLASSIFICATION DE RIVERS

Dès 1972, en milieu américain, Rivers propose «un nouveau modèle d'enseignement des langues qui attribue un rôle important à l'apprentissage individuel de l'étudiant dans la communication» (Rivers 1972-1973 : 24). Pour cela, elle suggère la répartition suivante des opérations essentielles (p. 24) :

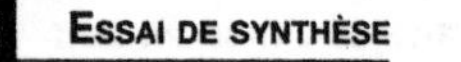

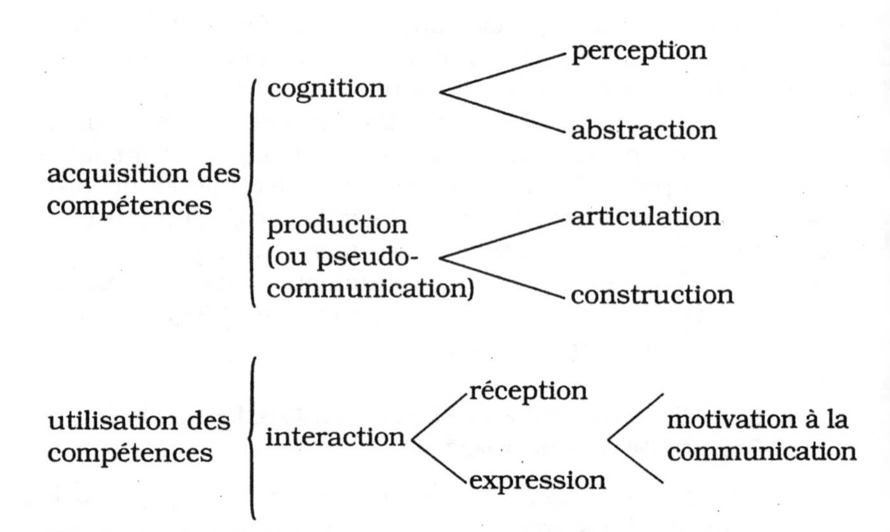

Fig. 9 – Modèle d'enseignement des langues, selon Rivers (1972-1973 : 24)

Elle dérive alors de son modèle douze catégories d'activités d'interaction verbale, susceptibles de favoriser des modes d'utilisation «naturelle» du langage (p. 28-29) :

1. amorce et maintien de relations sociales
2. recherche d'information (enquêtes)
3. communication d'information
4. apprentissage d'un savoir ou d'une technique
5. expression de réactions personnelles
6. dissimulation de ses intentions
7. résolution de difficulté par l'échange verbal
8. solution de problème
9. participation à des activités récréatives

10. conversation au téléphone
11. animation de divertissements
12. présentation de ses réalisations

Par ces types d'activités, Rivers vise avant tout un entraînement individualisé à une interaction autonome.

2. LA CLASSIFICATION DE PAULSTON

En 1976, Paulston traite des activités interactives de communication dans un chapitre d'un ouvrage collectif qu'elle intitule «Communicative competence» (1976), reproduit en 1979 dans un autre ouvrage collectif qui servira ici de référence. Selon Paulston, on peut distinguer quatre grands types de base d'activités d'interaction. Ce sont :

- des formules sociales et des dialogues : il s'agit de listes de formules figées, du type *Pardon me* ou *I'm sorry*, qui visent à outiller l'apprenant pour s'excuser. Comme elle le fait remarquer, dans une L2, il est souvent très difficile de s'excuser, de se plaindre, de refuser une invitation, voire même de mentir, etc., de manière polie, sans offusquer ses interlocuteurs. La phase comprenant des mini-dialogues vise ensuite à proposer des petites situations, très courtes, dans lesquelles les formules apprises peuvent être utilisées à bon escient;
- des activités de communication réelle avec des locuteurs natifs («Community-Oriented Tasks») : les activités proposées consistent à suggérer aux apprenants des façons d'entrer en contact, en milieu naturel, avec des locuteurs natifs. Il faut ici préciser que les suggestions de Paulston sont destinées à des étudiants étrangers désireux d'apprendre l'anglais en milieu américain. Les situations suggérées se réfèrent, par exemple, à la banque, à l'automobile, etc.;

– des activités de résolution de problèmes, avec des suggestions de solutions parmi lesquelles les apprenants sont amenés à faire des choix. L'accent est mis sur le contenu des messages à comprendre ou à produire;

– des jeux de rôle, au cours desquels un apprenant joue le rôle d'un personnage et donne la réplique, en improvisant, à un apprenant personnifiant lui aussi quelqu'un d'autre.

Il convient cependant de signaler que Paulston ne néglige pas pour autant les activités ou les exercices portant sur la maîtrise des formes linguistiques proprement dites (même sous la forme de jeux ou de charades, par exemple). Elle les appelle des exercices de «performance de communication», complémentaires des autres types d'exercices, présentés ci-dessus, portant véritablement, selon elle, sur la «compétence de communication» (Paulston 1976-1979 : 343).

3. LA CLASSIFICATION DE LITTLEWOOD

Dans son ouvrage intitulé *Communicative Language Teaching – An Introduction*, Littlewood (1981), de son côté, fait la distinction entre deux grands types d'activités : des activités précommunicatives et des activités communicatives.

Les ACTIVITÉS PRÉCOMMUNICATIVES comprennent :

– des *activités structurales*, comme les «exercices structuraux» traditionnels :

P : *Michèle écrit une lettre.*

E : *Michèle a écrit une lettre.*

P : *Michèle regarde la télévision.*

E : *Michèle a regardé la télévision.*

– des activités quasi-communicatives, sous la forme d'exercices formels qui contribuent, simultanément, à l'apprentissage de certaines fonctions, comme «accepter/refuser une invitation» :

P : *Devrions-nous aller au cinéma?*

E : *Non, je n'ai pas le goût d'aller au cinéma.*

P : *Devrions-nous regarder la télévision?*

E : *Non, je n'ai pas le goût de regarder la télévision.*

Quant aux ACTIVITÉS PROPREMENT COMMUNICATIVES, elles comprennent :

- des *activités communicatives fonctionnelles*, comme comparer des images et noter les ressemblances et les différences, trouver l'élément manquant sur une image;
- des *activités sociales d'interaction*, comme une discussion libre, des improvisations, des débats, des jeux de rôles, des simulations, etc. (sur la distinction entre simulation et jeu de rôle, voir Pérez 1992).

Pareille conception peut être représentée schématiquement dans le tableau suivant (Littlewood 1981 : 86) :

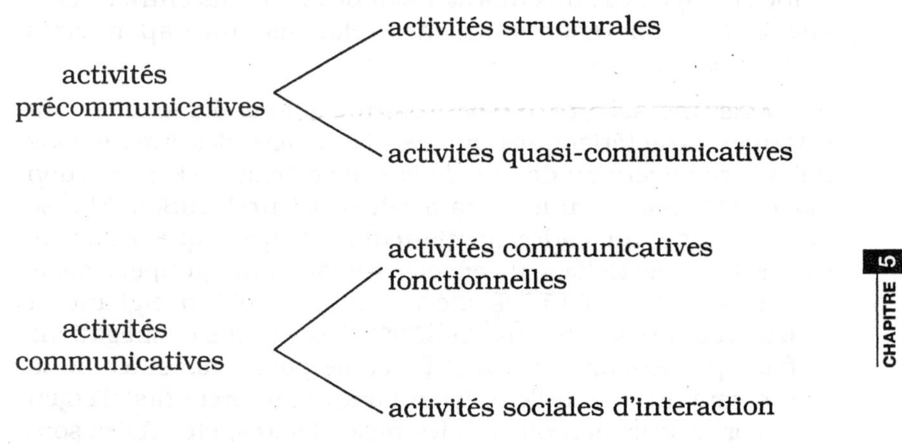

Fig. 10 – Types d'activités, selon Littlewood (1981)

On pourrait poursuivre en énumérant d'autres types d'activités pédagogiques ou de classification d'activités conçues dans le cadre d'une approche communicative (Cornaire et Alschuler 1987; Norman, Levihn et Hedenquist 1986; Weiss 1983) mais ce qui importe avant tout, c'est d'en voir les effets sur l'apprentissage. Chacun de ces types d'activités a-t-il la même portée? Y a-t-il des activités susceptibles de conduire plus rapidement à un apprentissage de qualité de la L2? En d'autres termes, toutes ces activités ont-elles toutes la même valeur, le même effet sur l'apprentissage?

C'est ce qu'il convient maintenant de vérifier, en recourant aux résultats de quelques recherches empiriques, portant sur l'interaction sociale en classe de L2, résultats dont on dispose depuis peu sur cette importante question.

C) L'INTERACTION SOCIALE

Par interaction sociale, on entend tout ce qui a trait à un échange langagier entre au moins deux personnes. Dans le cas d'une classe de L2, il peut s'agir soit des relations entre l'enseignant et les apprenants, soit des relations entre apprenants (Rivers 1987).

Dans une salle de classe, les interactions didactiques ont certaines caractéristiques qui les distinguent des interactions qui se produisent en dehors de la salle de classe. L'interaction didactique obéit à une certain rituel (Cicurel 1988). Elle se déroule dans un cadre spatio-temporel spécifique (salle de classe, horaires rigides, un enseignant face à un groupe, etc.), le statut social des acteurs est inégal puisque seul l'enseignant est le détenteur du savoir, chaque acteur a ses droits et obligations (il faut, par exemple, un motif valable pour s'absenter de la classe, tant du côté de l'enseignant que des apprenants), l'enjeu de la communication obéit à des règles tacites, etc. Telles sont quelques-unes des caractéristiques de toute interaction didactique, quelle que soit la discipline impliquée. Par ailleurs, un certain nombre de caractéristiques nouvelles s'ajoutent lorsqu'il est question de didactique des L2 :

- double rôle de l'apprenant qui doit rester lui-même tout en jouant parfois d'autres personnages;
- nombreuses répétitions des énoncés à faire apprendre
- passage continu d'un domaine de la langue à un autre de la grammaire au vocabulaire, du vocabulaire à la phonétique, etc.;
- conflits possibles entre les règles du jeu didactique et les croyances de l'apprenant
- activités truquées servant de prétexte à l'utilisation de la langue
- transformation de documents en objets d'étude par exemple : un éditorial, des nouvelles à la radio, un calendrier, etc.;
- confirmation ou refus de la réponse donnée par l'enseignant et non par l'interlocuteur

(Exemples tirés de Cicurel 1988).

Une classe de L2 comporte toujours un enjeu social; elle est bien un lieu où se négocient des significations, et même une interaction didactique, en classe de L2, est de nature sociale.

1. L'EFFICACITÉ DES INTERACTIONS SOCIALES EN CLASSE DE L2

D'après Ellis (1986), les recherches empiriques portant sur les interactions sociales en classe de L2 ont été largement inspirées par les recherches sur les interactions dans le domaine du développement de la L1. Par exemple, les études de Wells (1981) ont fait ressortir l'idée qu'il ne suffit pas que l'adulte ajuste son langage au niveau de l'enfant (*caretaker talk*) pour que le langage de ce dernier se développe. Il faut que l'enfant procède lui-même à certains ajustements dans ses réactions aux questions de l'adulte, par exemple, pour accroître ses propres capacités de compréhension du langage de l'adulte.

Dans le domaine de la L2, le phénomène serait le même : la simplification du langage de la part de l'interlocuteur ne serait pas un facteur aussi déterminant qu'on l'avait cru jusqu'ici. Il semble plutôt que ce soit la «négociation du sens», grâce au jeu des interactions entre interlocuteurs, qui soit surtout bénéfique pour le développement de la L2 (Long 1981; Kramsch 1984; Ellis 1986). Ce sont donc les modifications du langage qui seraient les plus susceptibles de contribuer au développement de la L2. Dans le cadre des recherches empiriques, par négociation du sens, il faut entendre toute modification discursive du type suivant (Long 1981) :

– les demandes de confirmation :	«J'ai besoin d'un stylo. – Un stylo?»
– les demandes de clarification :	«J'habite ici depuis cinq ans. – Depuis combien de temps, avez-vous dit?»
– les vérifications de la compréhension :	«Vous comprenez?»
– les répétitions, expansions, ou paraphrases :	«C'est difficile, ce n'est pas facile.»

Afin de mieux apprécier l'apport des interactions enseignant/apprenants et apprenants/apprenants, il convient de rapporter ici l'essentiel des résultats des recherches empiriques conduites dans des classes de L2, visant à mesurer les effets des interactions sociales sur le développement de la L2.

2. LA NÉGOCIATION DU SENS

Les études ayant pour but de comparer les effets d'un enseignement centré sur l'enseignant s'adressant à tout le groupe (*teacher fronted activity*) à des activités destinées à des petits groupes d'élèves interagissant entre eux font clairement ressortir l'idée que les activités en dyades (élèves deux à deux) et en petits groupes (plus de deux élèves dans un groupe) sont beaucoup plus favorables à la négociation du sens que dans le cas où c'est l'enseignant qui dirige les interactions verbales (Duff 1986).

Dans une autre recherche du même type, conduite par Rulon et McCreary (1986), les résultats sont sensiblement les mêmes, à une nuance près : les effets favorables sont supérieurs pour les petits groupes, quel que soit le contenu même de la négociation du sens, à savoir une négociation du sens des éléments de la langue (sens d'un mot inconnu ou d'une expression inconnue) ou une négociation du contenu même de la leçon (signification d'un passage entendu ou lu). Il convient cependant de souligner que s'il en va ainsi chez de jeunes élèves, la situation pourrait bien être sensiblement différente dans le cas d'apprenants adultes mis en situation d'écriture en équipes de trois ou quatre, équipes où le seuil de tolérance pour les idées émises par les partenaires paraît moins élevé (Fabre et Marquilló 1991).

3. L'ÉCART D'INFORMATION À COMBLER

D'après d'autres recherches empiriques, la nature même de la tâche demandée aux élèves serait déterminante pour le développement de la L2. L'effet sur l'apprentissage serait différent selon la tâche : simple échange d'informations, écarts d'informations à combler (*information gap*), décisions à prendre, questions à débattre, problèmes à résoudre, etc.

Prenons le cas, par exemple, d'une étude visant à comparer une situation de débat et une situation de résolution de problème. Selon Duff (1986), une activité de résolution de problème, au cours de laquelle les élèves partagent un même but, est préférable à une tâche divergente, comme le débat, en ce qui concerne :

1) le nombre de questions posées par les apprenants;

2) le nombre de questions de référence (dont la réponse n'est pas connue d'avance par celui qui pose la question); et

3) le nombre de demandes de confirmation.

De son côté, le débat donne lieu à un plus grand nombre de tours de parole par des individus différents et à des formes linguistiques plus complexes. Pica et Doughty ont refait, en 1988, l'expérience qu'elles avaient déjà faite en 1985 afin d'étudier le rôle de l'interaction sur le développement de la compréhension orale en L2. Cette fois, la tâche proposée aux élèves comprenait des activités d'écarts d'informations à combler : chaque élève devait fournir aux autres des renseignements qu'il était le seul à posséder concernant, par exemple, la grandeur, la forme, la couleur ou la localisation de fleurs. Avec ce type de tâche, chaque participant se devait de procéder à un échange d'informations. Il ressort de cette expérience que même si le travail en petits groupes est une condition favorable à la négociation du sens et du contenu, les résultats sont encore meilleurs si la tâche à exécuter EXIGE que chaque apprenant prenne la parole pour combler des écarts d'informations. Comparativement à d'autres expériences de résolution de problème où certains élèves ne sont pas obligés de procéder à une négociation du sens, les tâches qui obligent les élèves à demander ou à donner de l'information sont préférables, dans l'optique du

* Échange d'info = ↑ résultats avec ptit groupes

développement de la L2. Lorsque l'échange d'informations est optionnel, les résultats ne sont pas aussi bons.

En somme, d'après les recherches empiriques sur la question, ce sont les activités de petits groupes, comprenant des tâches où l'on force les apprenants à combler des écarts d'informations, qui paraissent être un facteur décisif du développement d'une L2 en salle de classe. Bien sûr, il ne s'agit que de «tendances», compte tenu du peu de données disponibles, du peu de sujets impliqués dans les recherches faites à ce jour et de certaines difficultés d'ordre méthodologique (Chaudron 1988). Dans la perspective suggérée par Ellis (1986), on peut supposer que l'interaction sociale, en classe de L2, est une variable qui permet d'accroître au moins le rythme et la quantité de L2.

Plusieurs questions demeurent quand même sans réponse, mais les recherches actuelles suggèrent ces quelques pistes pédagogiques qu'il a paru intéressant d'explorer.

D) LA FORMATION DES ENSEIGNANTS

Une des grandes préoccupations de nombreuses personnes concerne les implications de l'approche communicative pour la formation et le perfectionnement des enseignants. La condition essentielle de réussite de l'approche communicative, selon Bérard (1991 : 62), concerne l'enseignant. Il a donc paru utile, pour clore ce chapitre, d'aborder ici, au moins sommairement, cette épineuse question, mais d'un point de vue normatif (en fonction des principes énoncés jusqu'ici) plutôt que descriptif.

La première remarque, à ce sujet, est que le recours à une démarche du type communicatif requiert de la part de l'enseignant des habiletés en partie différentes de celles qui sont mises en œuvre dans un cours audio-oral, par exemple. L'élément commun reste, bien sûr, une bonne connaissance de l'objet d'apprentissage : la langue. Mais, au-delà de l'objet, il semble que l'enseignant de L2, dans une perspective communicative, se doit d'être de plus en plus sensibilisé aux caractéristiques de la communication langagière. Il doit entre autres porter attention à la diversité des façons dont on procède, dans la langue cible, pour demander des renseignements, demander un service, exprimer une opinion, etc. (Salimbene 1983 : 7). Dans cette même veine, l'enseignant de L2 se devrait de porter attention au caractère approprié des énoncés linguistiques, tant en rapport avec la situation de communication qu'avec l'intention de communication.

De plus, la pédagogie future, pour être conforme aux principes de l'approche, se devrait d'être centrée non pas tant sur la manière de présenter un contenu entièrement prédéterminé que sur la façon de développer des activités centrées sur la tâche ou sur la signification, de manière à accroître la motivation des apprenants. En d'autres termes, il s'agit moins de mettre l'accent sur les techniques d'enseignement que sur les «stratégies» susceptibles de faire participer les apprenants à leur propre apprentissage, tout en utilisant pleinement les ressources dont ils disposent déjà dans leur L1 (Salimbene 1983 : 7).

Sur le plan de la préparation du matériel, les enseignants devraient apprendre à exploiter des documents authentiques, même lorsque ceux-ci sont d'utilisation complexe. Prévoir, en somme, une exploitation du matériel qui permette à l'apprenant de deviner jusqu'à un certain point le contenu des textes soumis, de développer ses stratégies d'anticipation puis, au moment de produire, de prendre des risques avec une langue encore mal maîtrisée.

De plus, une approche communicative exige un type différent d'organisation de la classe, qui tienne compte du fait qu'il s'agit d'un enseignement centré sur l'apprenant et non sur l'enseignant ou sur la méthode, ou le matériel didactique (Salimbene 1983 : 7). Rappelons quelques exemples d'éléments d'organisation : apprendre à présenter des activités de simulations, de jeux de rôles, de problèmes à résoudre, d'écarts d'informations à combler, et ainsi de suite. C'est une approche qui motive avant tout à jouer de nouveaux rôles : agir en tant qu'animateur, guide, facilitateur de l'apprentissage – et en tirer toutes les implications – plutôt que d'agir en seul détenteur du savoir et donc, d'un pouvoir (Littlewood 1981 : 92). Apprendre, en somme, dans la mesure du possible, à respecter les propres stratégies d'apprentissage des apprenants (O'Malley, Chamot et Walter 1987; Oxford, Lavine et Crookall 1989).

Il est certain que l'avènement de l'approche communicative a des effets sur la formation et(ou) le perfectionnement des enseignants de L2 qui ne peuvent plus être de simples transmetteurs de connaissances (Germain 1992). Les quelques implications de l'approche pour la formation des enseignants notées ci-dessus apparaissent comme fondamentales mais, dans leur cas comme dans celui des nombreuses autres d'ailleurs, c'est à la recherche empirique qu'il revient d'en démontrer la pertinence.

effets sur enseignants

CHAPITRE 

LA REVUE CRITIQUE DES PRINCIPES DE BASE

Le moment est venu de prendre un certain recul afin de tenter de porter un jugement de valeur sur l'approche communicative. Il est vrai que l'ouvrage est déjà parsemé de quelques remarques critiques, mais il s'agit plutôt, dans ce chapitre-ci, de s'attarder à un examen un peu plus attentif et systématique de quelques aspects particuliers de l'approche qui, à notre avis, méritent d'être relevés. Nous ferons donc une mise au point, en début de chapitre, sur les caractéristiques d'une approche communicative. Les remarques critiques porteront ensuite systématiquement sur chacun des aspects retenus. Le chapitre se terminera par quelques remarques d'ordre plus général sur les rapports entre langue et communication.

A) LES CARACTÉRISTIQUES D'UNE APPROCHE COMMUNICATIVE

Dans l'avant-propos de cet ouvrage, nous avons affirmé que les auteurs paraissent s'entendre davantage sur ce que N'EST PAS l'approche communicative que sur ce qu'elle est. Il ressort assez clairement des pages qui précèdent que l'approche communicative :

– n'est pas centrée sur la forme linguistique. Cela ne signifie pas que la forme soit absente. Cela veut dire que le premier critère de choix du contenu langagier n'est pas la langue elle-même : chaque leçon peut être construite à partir soit de fonctions langagières, soit de notions, soit de situations ou de thèmes, mais à chaque fois, le choix des éléments langagiers est subordonné à ce choix premier;

- n'est pas d'abord fondée sur des objectifs d'apprentissage provenant de buts ou de finalités théoriques. Elle repose plutôt sur les besoins, intérêts ou attentes des apprenants, d'où sont tirés les objectifs d'apprentissage;
- n'est pas décrochée des situations réelles de production de la langue. Au lieu de faire pratiquer la langue à partir de dialogues préfabriqués, il s'agit surtout de familiariser l'élève à la variation linguistique, compte tenu des divers paramètres de la situation de communication. Afin de sensibiliser l'élève aux divers registres de langue, et à la variation linguistique qui en découle, les auteurs prônent le recours à des documents authentiques;
- n'est pas centrée sur des échanges à sens unique : enseignant – élèves. Au contraire, dans une approche communicative sont notamment encouragées les activités d'interaction entre élèves (simulation, jeu de rôle), également incités à interagir dans des petits groupes.

Ces quelques précisions étant faites, il convient maintenant de se poser la question : quelles sont les caractéristiques qui font qu'un enseignement peut être dit communicatif? Quelques auteurs ont déjà tenté d'y répondre, mais aucune des tentatives de caractérisation proposées jusqu'ici ne paraît pleinement satisfaisante. Par exemple, Brumfit (1987 : 5-6) énumère onze éléments susceptibles de caractériser l'approche. Si certains paraissent pouvoir gagner l'adhésion de tous – et c'est le cas pour les besoins des apprenants et la tolérance de l'erreur – d'autres sont plutôt douteux – par exemple, le travail individualisé (*individualized work*), qui va à l'encontre, semble-t-il, des activités d'interactions en sous-groupes, pourtant énoncées plus loin, par l'auteur même, comme une autre caractéristique de l'approche.

Dans un article portant sur la nécessité de développer la conscience chez l'apprenant de ses propres stratégies d'apprentissage, Oxford, Lavine et Crookall (1989 : 34) énumèrent quatre principes de base qui, selon eux, permettent de définir, en quelque sorte, une approche communicative. Pourtant, assez curieusement, un de ces principes concerne l'intégration des quatre habiletés langagières (*an orientation which integrates the four language skills*), ce qui paraît s'opposer à l'analyse des besoins langagiers, habituellement reconnue comme une des grandes caractéristiques de l'approche, que les auteurs de l'article passent sous silence!

Dans les circonstances, il a semblé préférable de s'en remettre à l'un des textes de base de l'approche, celui de Canale et Swain (dont il a déjà été question à propos de la définition de la compétence de communication, au deuxième chapitre). Canale et Swain énumèrent en effet cinq principes constitutifs d'un «curriculum» ou programme susceptible d'être qualifié de communicatif :

1. La compétence de communication est constituée de quatre types de «compétences» : une compétence grammaticale, une compétence socioculturelle, une compétence discursive et une compétence stratégique;
2. Une approche communicative doit reposer sur les besoins de communication langagière des apprenants;
3. L'apprenant de L2 doit participer à des activités interactives pleinement significatives;
4. Un usage optimal devrait être fait des habiletés langagières que l'apprenant a déjà développées dans sa langue maternelle;

5. L'objectif primordial est de fournir de l'information, de pratiquer et de faire des expériences dans la L2.

B) REMARQUES CRITIQUES SUR QUELQUES PRINCIPES DE BASE[1]

La première caractéristique énoncée par Canale et Swain, concernant la nature de la compétence de communication, comprend plusieurs dimensions. Toutefois, on ne s'arrêtera ici, de façon spécifique, qu'à la compétence grammaticale – que nous préférons appeler «composante langagière» – examinée en elle-même (dans ses dimensions phonétique, lexicale, grammaticale et pragmatique). Quant aux autres remarques critiques, elles porteront successivement sur chacun des autres principes de base.

1. LA COMPOSANTE LANGAGIÈRE

Sur ce plan, on peut dire que l'approche communicative a les défauts de ses qualités. La composante langagière (le code linguistique) en est venue, en effet, à occuper un second rang, au profit d'une centration sur le message à transmettre ou sur l'emploi de la langue. Ce sont par conséquent les aspects proprement linguistiques de l'approche qui ont été les plus négligés. Il suffit de passer brièvement en revue les domaines traditionnels de la langue pour s'en convaincre.

a) La phonétique

Qu'advient-il de la phonétique? La phonétique n'est à peu près plus jamais mentionnée, à quelques exceptions près, soit dans les colloques, soit dans les revues traitant de l'approche (pour une synthèse de la question, se référer, dans cette collection-ci, à l'ouvrage de Champagne-Muzar et Bourdages 1993).

---

[1] Nous tenons ici à remercier Françoise Gagné pour ses nombreuses et intéressantes suggestions concernant ces remarques critiques.

Elle ne se retrouve (sauf quelques rares exceptions), ni dans les programmes d'étude, ni dans le matériel didactique, ni dans les programmes de formation des maîtres de L2.

Il convient cependant de faire remarquer, à la suite de LeBlanc que, dans les faits, cela ne signifie pas que ce soit l'approche communicative qui a chassé la phonétique de la pratique pédagogique, mais bien «les lacunes importantes dans les fondements de l'enseignement/apprentissage des langues secondes» (LeBlanc 1986 : 20). Il faut cependant ajouter que l'approche communicative n'est certes pas celle qui est susceptible de contribuer à corriger cet état de fait, du moins pas dans sa version actuelle.

b) Le vocabulaire

Même s'il n'a à peu près jamais occupé une place très importante en didactique des L2 (Galisson 1983; 1991), le vocabulaire paraît de nouveau négligé dans l'approche communicative (Germain 1984). Les choix arbitraires et subjectifs de *Un niveau-seuil*, par exemple, n'ont rien pour redorer son blason. Comme le fait observer Swan, «les fonctions sans lexique ne sont guère mieux que les structures sans lexique» (Swan 1985 – traduction libre). L'incompétence à communiquer, poursuit l'auteur, ne serait-elle pas due, le plus souvent, à un manque de vocabulaire? Question qui demeure toujours sans réponse. C'est pourtant un fait bien connu que, en pays étranger, tout voyageur tente de se débrouiller tant bien que mal à l'aide de quelques mots de lexique. Il faut dire que, dans le contexte de la vie quotidienne, plusieurs indices extralinguistiques, comme les gestes, la mimique, le ton de la voix, favorisent la compréhension du vocabulaire (pour une tentative d'enseignement du vocabulaire, en classe de L2, à l'aide d'indices situationnels – images, musique, gestes, ton de la voix – fournis par le recours à des bandes magnétoscopiques, voir Duquette 1991).

Il en va de même pour l'apprentissage de l'écriture en milieu scolaire : la plupart des apprenants, semble-t-il, recourent davantage au dictionnaire qu'à la grammaire. De plus, pour la majorité des élèves, apprendre une L2 c'est d'abord et avant tout apprendre des mots de vocabulaire. Or, dans la mesure où l'approche communicative est censée être une pédagogie centrée sur l'apprenant, il est pour le moins étonnant que cette préoccupation première – le vocabulaire – soit si peu prise en compte.

c) La grammaire

Quant à la grammaire, elle est au cœur même du dilemme «code-communication» dont fait état Stern (1983). À l'heure actuelle, on ne dispose toujours pas d'une solide grammaire fonctionnelle ou «communicative» qui rallierait les promoteurs d'une approche communicative. Il paraît cependant clair que si les premières années de l'implantation de l'approche en milieu scolaire ont été le plus souvent marquées par une négligence des aspects proprement grammaticaux, on assiste de nos jours à un certain regain de la grammaire, à une certaine demande de la part des enseignants qui, pour la plupart, ne semblent jamais y avoir complètement renoncé, en dépit d'un certain discours théorique sur le sujet, qui laissait parfois entendre le contraire (Richards et Rodgers 1986).

Une certaine demande, de la part des enseignants en tout cas, couplée au fait qu'on ne dispose toujours pas d'outils adéquats de référence concernant la grammaire ne risque-t-elle pas de nous ramener au recours à la grammaire traditionnelle, faute de mieux, même si ses incohérences et ses imperfections sont bien connues de tous? Il faut dire que les linguistes ne produisent la plupart du temps que des données peu utiles à l'enseignant de langue. C'est pourquoi, compte tenu de la négligence des études proprement descriptives dans le domaine linguistique, il semble qu'il y ait là un domaine à explorer pour les spécialistes de la didactique des langues ou «didactologues» (pour reprendre l'expression de Galisson). À ce titre, une bonne grammaire pédagogique de la langue française, qui prendrait véritablement en compte les usages sociaux de la langue, reste encore à faire (voir cependant une première tentative intéressante, en ce sens, dans Bérard et Lavenne 1991; pour des activités grammaticales fondées sur les fonctions langagières, voir Tardif et Arseneault 1990, ainsi que Hardy 1992).

Rodriguez signale aussi que, dans ce domaine, l'approche communicative «en est encore au stade des propositions, de la recherche, des expériences». Après avoir souligné l'absence de matériel pédagogique pour enseigner la grammaire selon l'approche, elle conclut que «la grammaire intégrée à l'approche communicative doit être redéfinie» (Rodriguez 1986; pour une synthèse sur la question, se référer, dans cette collection-ci, à Germain et Séguin — à paraître).

d) Les aspects pragmatiques

Concernant les aspects pragmatiques, en rapport avec les règles du discours et les règles d'utilisation de la langue, Swan (1985) se demande s'il est possible de spécifier par des règles d'utilisation la valeur de tout énoncé dans une situation donnée. Si tel est le cas, incombe-t-il au professeur de L2 d'enseigner ces règles aux apprenants? En d'autres termes, la propre compétence de l'apprenant dans sa L1 n'est-elle pas suffisante? transférable? Mais pareilles questions nous font vite relever une autre difficulté, mentionnée par Besse, et dont il sera question ci-dessous.

- problème -

Grandcolas (1981) soulève un autre problème complémentaire : l'enseignement/apprentissage des règles du discours est-il possible en salle de classe? En effet, des recherches en analyse du discours ont montré des différences très nettes entre le discours en salle de classe et les échanges en milieu naturel. En classe, il y a prédominance de la fonction représentative. L'enseignant évalue la performance des apprenants en termes de correct/incorrect. Il est au centre de l'interaction et contrôle l'activité verbale de l'apprenant. Comment un discours aussi éloigné de la réalité peut-il préparer l'apprenant aux échanges avec des locuteurs natifs en dehors de la salle de classe? Sans compter que l'analyse du discours est un domaine de recherche encore très jeune, de sorte qu'on dispose encore de très peu de données en la matière.

À cet égard, comme le montre bien Cicurel (1993), l'interaction didactique de la classe de langue possède ses propres règles qui la caractérisent et la différencient de la conversation de tous les jours :

- la «trifocalisation» du professeur qui porte sur la forme et sur le fond (comme c'est le cas dans la conversation ordinaire) mais aussi sur le déroulement de l'interaction;
- le schéma réparateur, ou mode de correction des énoncés erronés, qui n'est pas latéral (il ne se surajoute pas à une interaction existante, comme dans la conversation) mais constitutif du discours même de la classe;
- le schéma producteur, axé sur une injonction de base («je vous demande de parler de telle manière»);
- la rupture des règles ordinaires de communication, puisque la répartition des tours de parole n'est pas pré-formée;
- un schéma interactionnel-type : une interaction dirigée par le partenaire en position haute (l'enseignant), une interaction semi-dirigée (c'est l'enseignant qui reste maître de l'interaction même dans les cas où c'est l'apprenant qui a l'initiative de l'acte de parole), une interaction avec menace de rupture (d'où la recherche, chez l'enseignant, du maintien de l'équilibre interactionnel).

Il y a paradoxe dans la mesure où le but de l'enseignement de la langue est l'apprentissage de la conversation «authentique», de tous les jours, dont les règles d'interaction sont différentes des règles interactionnelles spécifiques à la classe de langue.

2. LA NOTION DE BESOINS LANGAGIERS

La deuxième caractéristique de l'approche communicative, selon Canale et Swain, a trait à tout ce qui se rapporte aux besoins langagiers des apprenants. Même si certains ont parfois associé l'approche communicative à une pédagogie centrée sur l'apprenant – sous prétexte que le contenu à enseigner est fondé sur une analyse de besoins – il reste que, dans la pratique, l'élaboration des programmes a été faite non pas en fonction des besoins des individus tels que définis par eux, mais plutôt tels que déterminés par les institutions. Par exemple, s'il s'agit de déterminer la langue (structures, vocabulaire, grammaire, etc.) nécessaire à un commis de bureau dans tel type d'institution donnée, on ne peut pas dire que ce sont les besoins de l'individu occupant ce poste qui servent de critère de sélection du contenu à enseigner. C'est plutôt la fonction même du poste, quelle que soit la personne qui occupe le poste, qui guide ce choix. Comme nous avons déjà eu l'occasion de l'indiquer ailleurs (Germain 1980 : 14), là où l'élaboration des programmes repose sur une analyse de besoins, ce sont le plus souvent les besoins de l'institution, plutôt que ceux de l'apprenant en tant qu'individu, qui sont pris en compte. Les besoins subjectifs ou les aspirations et intérêts personnels de l'apprenant sont ignorés, sauf si ceux-ci coïncident avec ses besoins socioprofessionnels. On peut en définitive légitimement se demander si, au-delà d'une terminologie trompeuse, la prétendue pédagogie centrée sur l'apprenant ne serait pas plutôt, dans les faits, une pédagogie centrée sur l'institution (p.14).

Dans le cadre du Conseil de l'Europe, ce n'est pas la langue en soi qui est visée, mais bien la langue d'un métier, une langue faite sur mesure. Il s'agit donc d'une approche étroitement utilitariste. Les «besoins» d'ordre «culturel» sont mis en veilleuse. Les besoins étant déterminés, ce sont alors ces besoins langagiers qui seront transposés en objectifs d'apprentissage, à la base des programmes d'enseignement. Pourtant, comme le fait observer Billy (1985 : 24-25), le concept de besoins ne saurait se résumer au «matériau linguistique» et à l'analyse des situations dans lesquelles l'individu aura à s'engager. Les besoins peuvent prendre diverses formes : besoins sociopolitiques, psychologiques, pédagogiques, techniques et besoins de communication. Tel que conçu par Richterich, le concept de besoins paraît plutôt limité.

Le concept de besoins est lié à la notion de progression du contenu à enseigner. Comme on l'a vu, les auteurs ne s'entendent pas sur les modalités d'une progression du contenu d'un cours de langue dans le cadre d'une approche communicative. Ils ne paraissent s'accorder que sur un point : la nécessité de rejeter le concept d'une progression linéaire, fondement de la très grande majorité des méthodes antérieures. Une des difficultés nées avec l'approche communicative touche le conflit entre «l'acceptabilité sociolinguistique et la simplicité grammaticale» (Jupp, Hodlin, Heddesheimer et Lagarde 1975-1978 : 161).

De quoi s'agit-il?

Même s'il existe des formules relativement simples pour accomplir certaines fonctions langagières, comme demander un renseignement dans la rue («La gare, c'est où?, La gare, où c'est?»), cela ne signifie pas pour autant que ce sont ces formules qui doivent être enseignées dès les premières leçons d'un cours de langue. C'est que, dans la vie réelle, le recours à des formules aussi directes risquerait vraisemblablement de choquer l'interlocuteur, qui pourrait y voir un manque de courtoisie. Compte tenu de l'importance des dimensions sociales, voire socioculturelles, de l'interaction verbale, les auteurs de programmes ou de matériel didactique pourraient être amenés à recourir plutôt, dans un pareil cas, en début de cours, à des formules plus complexes mais plus conformes à l'usage courant, comme «Vous pourriez m'indiquer la gare, s'il vous plaît?, La gare, vous pourriez m'indiquer, s'il vous plaît?» (Jupp *et al.* 1975-1978 : 161).

À l'heure actuelle, il faut cependant avouer que nous sommes encore loin d'être au fait de la nature d'une véritable progression conforme aux principes d'une approche communicative. Peut-on vraiment parler de progression lorsqu'il s'agit tout simplement de multiplier des situations d'usage? Sur quels critères repose le concept de complexité des énoncés linguistiques? Comment ordonner les fonctions langagières les unes par rapport aux autres? Comment s'assurer que, dans le cadre d'une conception cyclique, on en arrive véritablement à un apprentissage cumulatif par approximations successives? Telles sont quelques-unes des questions qui se posent encore à propos de l'organisation du contenu langagier. Des questions qui demeurent toujours sans réponses vraiment satisfaisantes.

3. LES ACTIVITÉS INTERACTIVES SIGNIFIANTES

Sur ce point, il convient de signaler qu'en privilégiant des activités didactiques du type interactif, centrées sur les écarts d'informations à combler, sur la signification ou sur la résolution de problèmes, il se pourrait que l'approche ait permis de mettre en valeur un type d'activités relativement négligé dans le passé: les activités interactives signifiantes. Comme paraissent le montrer les quelques recherches empiriques sur la question, qui émanent d'ailleurs indirectement de l'approche communicative, il se pourrait qu'il s'agisse d'une activité didactique susceptible de contribuer effectivement à l'apprentissage d'une L2.

De plus, il faut souligner le fait que le recours à des activités signifiantes paraît pouvoir éventuellement trouver quelques assises au cœur des recherches sur l'acquisition de la L2. Il y aurait en quelque sorte convergence entre deux traditions de recherche (en pédagogie et en acquisition), jusqu'ici plus ou moins tenues à l'écart l'une de l'autre. C'est, du moins, l'espoir que suscitent les travaux de recherche empirique qui ont cours, portant notamment sur les effets des interactions sociales en classe de L2, sur l'apprentissage.

4. LES APPUIS SUR LA L1

Au sujet du quatrième principe de base, énoncé par Canale et Swain, il semble bien que l'on ait à faire face à une très grande difficulté de l'approche. Le problème, déjà noté par Besse (1982), est le suivant : très souvent, dans les faits, la compétence de communication propre à la L2 n'est pas enseignée puisque l'on se sert de la compétence de communication en L1 pour faire acquérir une certaine compétence linguistique en L2, réduisant ainsi la L2 à sa seule dimension étroitement linguistique. Autrement dit, c'est comme si l'on partait de la connaissance qu'a l'apprenant des règles d'emploi de sa L1 pour faire acquérir les règles du système linguistique (en L2), en faisant l'économie des règles d'emploi propres à la L2. Il y a là une difficulté majeure qui paraît aller en grande partie à l'encontre de l'un des principes fondamentaux de l'approche : la sensibilisation de l'apprenant aux règles socioculturelles d'utilisation de la langue cible. Du coup, les aspects proprement culturels de l'apprentissage sont plus ou moins laissés pour compte.

5. LA NOTION D'AUTHENTICITÉ

Le cinquième principe de l'approche, tel que formulé par Canale et Swain, comprend plusieurs dimensions. Mais comme il serait fort long et fort complexe d'examiner chacune des dimensions impliquées, on ne s'arrêtera ici qu'à une notion controversée : l'authenticité.

À cet égard, il convient de rappeler que le cognitivisme n'a été récupéré, comme fondement psychologique, que plusieurs années après l'avènement de l'approche communicative, contrairement à la méthode audio-orale qui est un produit conjoint de la linguistique structurale et de la psychologie behavioriste. À défaut de solides fondements d'ordre psychologique, l'approche communicative s'est initialement constituée autour d'un présupposé concernant l'apprentissage : le recours à des documents à la fois riches et variés, de caractère «authentique», à des documents non conçus expressément pour des fins didactiques (comme l'usage en salle de classe d'un éditorial de journal, de petites annonces, de nouvelles de la radio), ne peut que contribuer à faciliter l'apprentissage. C'est à ce titre que la notion d'authenticité peut être considérée comme l'un des concepts centraux de l'approche communicative.

Plusieurs auteurs soutiennent que l'authentique ne peut pas exister en salle de classe puisque les conditions extralinguistiques de réception et de production ne sont pas authentiques. Mais pour d'autres auteurs, comme Breen (1982), la classe de L2 se déroule dans un contexte social particulier où un certain nombre de personnes s'assemblent dans un but commun : apprendre une L2. L'apprentissage serait donc la principale fonction à la fois psychologique et sociale de la classe de L2. La classe de L2 posséderait sa propre «authenticité».

Quant au document authentique, il peut être de plusieurs types (Duplantie 1982 : 48-49) : *intégral* (un enregistrement fait à l'insu des gens), *simulé* (l'enregistrement d'une improvisation à partir d'un scénario de base), et *modifié* (un document pris sur le vif, mais réaménagé ou retouché par l'enseignant). Mais, quel que soit le type utilisé, le document sert généralement de prétexte à un travail pédagogique et la pédagogie d'utilisation peut être traditionnelle et(ou) ennuyeuse, sans compter que la recherche de documents - oraux surtout - exige du temps. De plus, l'authenticité du document ne garantit nullement le recours à des activités ou à des tâches authentiques : la lecture d'un tract en classe n'implique pas le même projet que sa lecture dans la réalité (Moirand 1982 : 52). Enfin, comme le fait remarquer Besse (1980 : 81), «une collection de documents intéressants ne constitue pas nécessairement un cours ayant le minimum de cohérence indispensable à un apprentissage suivi».

D'autres questions se posent également. Par exemple, comment utiliser efficacement du matériel authentique avec des débutants? Est-on autorisé à présenter des versions simplifiées, plus adaptées au niveau linguistique des apprenants? À quel moment doit-on introduire les documents authentiques en classe (Duplantie 1982 : 54)? Devrait-on, comme le suggère Cornaire (1991) dans son ouvrage synthèse sur la lecture en didactique des langues (publié dans la présente collection), dispenser les textes authentiques en petite quantité seulement, en début de cours ou de trimestre tout au moins? Dans ce cas, comment en arriver à préparer convenablement les apprenants à ce qu'elle appelle «l'aventure de l'authentique»? De toute manière, poursuit Cornaire, le recours continu aux documents authentiques, dans lesquels on ne retrouve qu'exceptionnellement les mêmes formes linguistiques, pourrait aller à l'encontre de certaines hypothèses sur le fonctionnement de la mémoire et sur le besoin qu'a l'esprit humain de classer et d'organiser.

En outre, si on veut situer les échanges dans un contexte authentique, il faut fournir à l'apprenant une foule de renseignements sur la situation de communication de chaque énoncé, ce qui ne peut être fait que difficilement en L2, avec des débutants. Si on résout le dilemme par le recours à la L1, on diminue le temps d'exposition à la langue cible, déjà bien limité en salle de classe. Il y a là un paradoxe qui ne paraît pas facile à résoudre.

C) LES RAPPORTS ENTRE LANGUE ET COMMUNICATION

1. LES FONCTIONNALISMES DE MARTINET ET DE HALLIDAY

Comme on l'a vu, l'approche communicative considère une langue comme un instrument de communication et d'interaction sociale. Or, sur le plan proprement linguistique, en France, la linguistique fonctionnelle de Martinet s'est précisément construite, et cela dès le début des années 1960, autour de l'idée qu'une langue est d'abord et avant tout un instrument de communication. C'est d'ailleurs la fonction communicative qui est considérée comme le critère même de toute pertinence linguistique. Cela pourrait paraître évident mais il n'en est rien.

On se rappellera que, pour Chomsky, une langue est d'abord et avant tout un moyen d'expression de la pensée, et ce n'est que secondairement qu'elle peut servir à des fins communicatives. De plus, en 1979, a paru une *Grammaire fonctionnelle du français*, élaborée par une équipe de linguistes et de didacticiens, sous la direction de Martinet. Or, ni la linguistique théorique de Martinet, ni sa grammaire fonctionnelle n'ont été prises en considération par les didacticiens de la L2, pourtant à la recherche d'une perspective fonctionnelle et d'une véritable grammaire fonctionnelle. Pourquoi?

Une explication possible pourrait bien être la suivante : la *Grammaire fonctionnelle du français* de Martinet a paru... trop tard. Elle a vu le jour au moment où les didacticiens de L2 commençaient à mettre plus ou moins de côté toutes perspectives qui avaient l'air d'être trop étroitement «linguistiques», pour accorder leurs préférences à tout ce qui pourrait comporter une vision beaucoup plus globale de la communication linguistique, prenant explicitement en compte au moins ses dimensions sociales. Il est possible que la *Grammaire fonctionnelle* de Martinet, malgré son attrait potentiel dû à l'importance accordée à la fonction, ait semblé à plusieurs didacticiens encore trop centrée sur la forme linguistique, c'est-à-dire sur le code linguistique proprement dit, traité de manière plus ou moins indépendante de ses usages sociaux. Il faut se rappeler qu'à l'époque un certain désenchantement vis-à-vis de la linguistique se traduira par des modifications d'ordre terminologique. Désormais, l'adjectif «langagier» va remplacer le qualificatif «linguistique». Par exemple, il ne sera plus question de «besoins linguistiques» mais bien de «besoins langagiers».

C'est sans aucun doute pourquoi les didacticiens se sont plutôt intéressés à une autre linguistique fonctionnelle, celle du Britannique Halliday, compte tenu de la prise en compte explicite, dans cette linguistique, des aspects sociaux du langage. Comme l'a fait pertinemment observer Besse, «les didacticiens tenants du fonctionnel ne se réfèrent, pour ainsi dire, jamais à Martinet mais volontiers à Halliday» (1980 : 40). Les lignes qui précèdent peuvent peut-être expliquer cet état de fait.

Qu'en est-il, toutefois, lorsqu'il est question du recours au fonctionnalisme de Halliday? Certes, les études sociolinguistiques du développement du langage chez l'enfant, faites par Halliday, ont séduit et influencé les didacticiens de L2. Mais il ne semble pas que la grammaire fonctionnelle de Halliday ait eu autant d'attrait chez ceux qui, pourtant, s'intéressaient, comme lui, aux variétés de fonctions sociales du langage adulte. Comme on l'a déjà vu, lorsqu'il est question de la multiplicité des fonctions du langage adulte, Halliday en vient à considérer toute grammaire comme un principe d'ordre et d'organisation de cette variété d'usages, sous la forme de quelques grandes macrofonctions.

Or, n'est-il pas étonnant qu'après avoir procédé à l'inventaire des fonctions langagières les auteurs des documents produits dans le cadre du Conseil de l'Europe ne se soient pas attardés à la recherche de ce mécanisme régulateur, qui aurait permis de regrouper en quelques fonctions majeures la multitude des fonctions langagières relevées? En tant que telle, la *Grammaire fonctionnelle* de Halliday n'a donc pas marqué l'approche communicative autant qu'elle l'aurait pu. En définitive, on ne retire surtout de son approche linguistique que cette idée, empruntée à l'époque aux philosophes du langage (Austin et Searle) : à une intention de communication ou fonction langagière peut correspondre plus d'un énoncé linguistique.

2. UNE LANGUE POUR COMMUNIQUER OU LA COMMUNICATION AU MOYEN DE LA LANGUE?

L'idée d'enseigner une L2 à des fins de communication n'est pas nouvelle. Pour s'en convaincre, qu'il suffise de jeter un coup d'œil sur les nombreuses tentatives qui se sont produites en ce sens dans le passé. On songe ici, par exemple, à des auteurs comme Ascham au XVIe siècle, ou Montaigne et Locke au XVIIe siècle (Germain : 1993). Plus près de nous, on se rappellera que bon nombre de manuels d'enseignement des langues datant d'avant les années 1975 se fixaient déjà comme objectif de montrer aux élèves à communiquer. Tel est le cas, par exemple, du matériel *Voix et Images de France* qui met en application les principes de la méthode SGAV.

Avec l'approche communicative, ce qui change surtout c'est précisément ce qu'il faut entendre par «communiquer». Jusque-là, on peut dire que l'on considérait la connaissance des éléments formels d'une langue (ses structures ou sa syntaxe par exemple) comme une condition nécessaire et suffisante pour communiquer, suivant un syllogisme du type suivant :

Une langue est un instrument de communication.

Or, je connais une langue.

Donc, je sais communiquer.

Il aurait fallu conclure :

Donc, je connais un instrument de communication.

Ceci est différent de l'idée de savoir communiquer, dans la mesure où, comme on le croit de nos jours, la communication langagière implique plus que la connaissance de formes linguistiques. Autrement dit, on a confondu «connaissance de la langue» avec «connaissance de la communication», à partir du postulat de l'identité d'une langue avec la communication.

L'avènement de l'approche communicative a mis en lumière le fait que connaître les formes ou les structures d'une langue est certes une condition nécessaire pour communiquer, mais que cela n'est pas une condition suffisante. Il faut posséder autre chose que les structures formelles d'une langue pour pouvoir communiquer linguistiquement. Or, c'est précisément la nature de ce «quoi d'autre» qui a fait – et qui fait toujours – problème, sans compter qu'on ne sait toujours pas comment s'y prendre pour enseigner efficacement une langue. Jusque-là, la langue avait surtout été vue comme un système statique, comme un objet à atteindre. L'important est désormais non pas la langue, mais la communication langagière, et cette dernière est définie non pas comme un système à maîtriser, mais comme une tâche à exécuter, une tâche dont les structures sous-jacentes doivent être négociées (Brumfit 1987 : 4).

À l'heure actuelle, en dépit des efforts de plusieurs chercheurs, il semble que subsiste toujours une certaine ambiguïté concernant les rapports entre «langue» et «communication». Pour certains, en effet, il semble que l'on puisse dissocier la langue de ses aspects communicatifs, un peu comme si on pouvait apprendre une langue dans ses seuls aspects formels, indépendamment de sa valeur communicative. Pour d'autres, par contre, on ne saurait dissocier les deux, de sorte qu'une langue étant définie comme un instrument de communication, son apprentissage implique l'apprentissage de la communication à l'aide de la langue. Selon certains auteurs, une compétence langagière inclut nécessairement une compétence de communication; c'est donc dire qu'une langue ne saurait être apprise indépendamment de ses conditions d'emploi, alors que pour d'autres, c'est l'inverse : une compétence de communication inclut diverses composantes. Nous l'avons vu, la composante langagière en est une.

Selon Allwright (1976-1979 : 167), le dilemme, toujours d'actualité, se pose dans les termes suivants : Enseigne-t-on la langue (pour communiquer) OU la communication (au moyen de la langue)?

Sur cette délicate question – et sans prétendre pouvoir résoudre le dilemme – , on nous permettra d'esquisser ici un schéma visant à prendre en compte certains concepts développés au cours de l'évolution de l'approche communicative. En effet, les premiers écrits sur l'approche, on l'a vu, ont nettement mis l'accent sur l'importance d'adapter son langage aux situations sociales de communication. Puis, dans certains documents du Conseil de l'Europe, un glissement s'est produit : il est alors davantage question de fonctions langagières (ou «intentions de communication») que de situations de communication.

De nos jours, une vision plus équilibrée du phénomène nous mènerait à tenir compte de la double dimension adaptative de la langue : l'intention de communication et la situation socioculturelle de communication. Posséder une compétence de communication pourrait équivaloir à produire des énoncés linguistiques qui soient doublement appropriés : appropriés à l'intention de communication et appropriés à la situation socioculturelle de communication. En ce sens, on pourrait qualifier de «compétence intentionnelle» la capacité de comprendre et de produire des énoncés appropriés à l'intention de communication; et on pourrait désigner la capacité de comprendre et de produire des énoncés appropriés à la situation socioculturelle de communication comme la «compétence situationnelle». Pareille conception pourrait être représentée schématiquement ainsi :

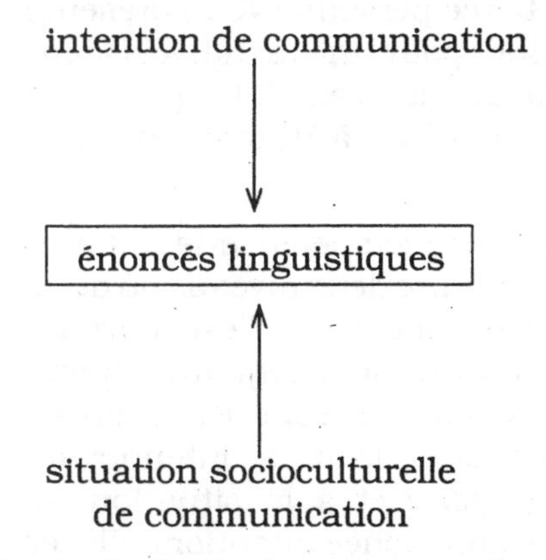

compétence intentionnelle

compétence linguistique
et discursive[1]

compétence situationnelle

Fig. 11 – La double dimension adaptative de la langue

[1] «Discursif» est entendu ici dans le sens de Widdowson, signifiant le respect des règles de cohésion et de cohérence (voir Chapitre 2, C).

Une des façons de saisir l'importance de cette double adaptation est de fournir des exemples de cas où il n'y a pas adaptation, c'est-à-dire où il y a échec de la communication ou faille dans la communication. Imaginons un langage qui serait inapproprié à l'intention de communication : celui d'un enfant à qui l'on demanderait, en situation d'évaluation, de décrire un animal en recourant, donc, au discours descriptif. Il répondrait à l'aide de la formule «Il était une fois un animal qui...», utilisant ainsi un discours narratif. En pareil cas, on dira qu'il y a inadéquation entre l'intention de communication demandée et le type de réalisation linguistique produit.

Plusieurs écrits donnent des exemples d'un langage inapproprié, cette fois, à la situation socioculturelle de communication. Lors d'une soirée en Suède, rapporte Paulston, on ne demande pas à un Suédois, même poliment, «Do you know everyone?» (Connaissez-vous tout le monde?) comme le ferait un Américain à un autre Américain, qui comprendrait que la personne désire savoir si on vous a présenté à chaque invité. C'est que la culture suédoise demande de circuler parmi les invités et de se présenter soi-même, sans attendre qu'une tierce personne vous présente à chacun (Paulston 1976-1979 : 336; pour une tentative d'identification, à l'aide de l'ordinateur, des règles d'emploi appropriées à la situation de communication, se référer à Huot et Lelouche 1991).

Il semble bien que l'essentiel de toute compétence de communication réside dans des RELATIONS entre deux niveaux ou deux composantes, dont la langue sert d'intermédiaire. C'est pourquoi le qualificatif important ici est «approprié» ou «adéquat». Comme il s'agit de communication langagière, ce sont les énoncés linguistiques qui doivent être appropriés à la fois à l'intention de communication (la fonction langagière) et à la situation de communication. Les expressions «compétence intentionnelle» et «compétence situationnelle» proposées ici concernent, de fait, d'une part, la RELATION entre l'intention de communication et les énoncés linguistiques, et d'autre part, la RELATION entre la situation socioculturelle de communication et les énoncés linguistiques.

En guise de conclusion à ce chapitre, on peut dire que les caractéristiques d'une approche communicative, telles qu'énumérées par Canale et Swain, paraissent bien découler de l'ensemble des écrits sur la question. Malgré tout, il ne semble pas que ces distinctions soient véritablement opératoires. Si elles l'étaient, elles permettraient de faire la distinction entre une approche dite communicative et une autre approche qui prétend s'en distinguer sur certains points. Or, sur ce plan, il est douteux que les principes de Canale et Swain puissent permettre, par exemple, de distinguer une approche communicative de l'approche naturelle de Krashen-Terrell par exemple, voire de la méthode suggestopédique de Lozanov ou de la méthode communautaire de Curran (Germain : 1993). L'étude des traits distinctifs de l'approche communicative reste donc à faire.

TROISIÈME PARTIE

EN GUISE DE PROSPECTIVE

CHAPITRE 7

LES DÉPASSEMENTS DU COMMUNICATIF

Même s'il est question d'approche communicative depuis de nombreuses années, on connaît très peu de choses sur la façon dont elle est effectivement implantée dans les classes de L2 (Brumfit 1987 : 6). Pour arriver à brosser un tableau relativement réaliste et exhaustif de l'approche communicative, il faudrait pouvoir un jour disposer de données concernant la façon dont elle est appliquée, et donc comprise par les enseignants eux-mêmes. À cet égard, les observations durant six semaines d'une classe de débutants adultes en français langue étrangère, au Centre de linguistique appliquée de Besançon, sont significatives : même si les méthodologies qui se réclament de l'approche communicative font apparaître une cohérence globale sur le plan des principes, des objectifs et du cadre théorique sous-jacent, il reste que sur le plan des applications, il existe «des pratiques déviantes, des abus de transfert, des distorsions entre les principes et les faits» (Bérard 1991 : 109). En effet, il semble qu'il soit très ambitieux de viser à apprendre à communiquer tout en apprenant la langue. De plus, certains résultats décevants paraissent être dus au fait que les motivations de certains publics ne sont pas forcément en rapport avec la communication. Enfin, les exigences du côté de l'enseignant sont très grandes : en plus d'être à l'aise dans la langue étrangère, «il doit aussi maîtriser la communication dans tous ses aspects culturels et psycho-sociologiques» (p. 109).

Ce cas mis à part, on dispose à l'heure actuelle de très peu de données d'observations de la salle de classe qui nous permettraient de mieux caractériser l'approche communicative dans sa dimension pratique. Il y a là tout un domaine de recherches empiriques pratiquement vierge, qu'il serait impérieux d'entreprendre sans tarder (Woods 1989; Germain 1990; Allwright et Bailey 1991). De plus, on ne dispose pas encore d'étude d'envergure, reconnue et fiable, permettant de mesurer le véritable impact de l'approche communicative : quels sont les effets de l'approche quant à l'apprentissage de la langue, de la culture et de la communication?

Quoi qu'il en soit, en fin de parcours, le moment est maintenant venu de soulever l'hypothétique question des tendances qui paraissent se profiler à l'horizon, c'est-à-dire dégager une prospective, avec tous les risques que cela comporte. Comme on l'a vu tout au long de cet ouvrage, l'approche communicative n'est ni le fruit d'un seul auteur (comme cela s'est produit dans plusieurs autres approches contemporaines dont l'appellation porte souvent le nom même de ses promoteurs), ni le résultat d'une pensée monolithique, arrêtée une fois pour toutes, bien au contraire. Depuis ses balbutiements au début des années 1970 jusqu'à ce jour, une génération s'est déjà écoulée. (Dans le passé, les méthodes ou approches se sont étalées sur une quarantaine d'années environ.) Malgré le chemin parcouru, il paraît peu probable que l'approche communicative en reste là où elle se trouve aujourd'hui.

Parmi les tendances de l'approche qui paraissent poindre davantage que les autres, on remarque que le concept de «tâche» (*task*), comme dans une tâche à résoudre (dans une activité de résolution de problème, par exemple), commence à prendre de plus en plus de place dans les écrits des chercheurs et didacticiens de la L2. Est-ce à dire que l'on serait en train de passer graduellement d'un programme fonctionnel à un programme centré sur des tâches communicatives? Sans que l'on soit d'ores et déjà en mesure de spécifier ce qu'il faut entendre par «tâche» dans le contexte d'une didactique des L2, trois grandes orientations, toutes centrées sur la «tâche», paraissent se dessiner (Long et Crookes 1992).

D'une part, il y a le syllabus axé sur la procédure, auquel est rattaché le nom de Prabhu (1987) et le projet de Bangalore (ville de l'Inde). Fait à signaler, le mouvement paraît venir, cette fois, du pôle pédagogique du domaine plutôt que de son pôle proprement linguistique. En effet, dans le cadre de ce projet d'enseignement de l'anglais comme langue étrangère, la tâche est définie en termes pédagogiques : calculer des distances, tracer un itinéraire à l'aide de cartes routières, évaluer des demandes d'emploi à partir d'un résumé biographique, etc. L'accent est mis sur la signification et sur l'accomplissement de la tâche plutôt que sur la langue. Aucun élément langagier n'est prédéterminé et seules les erreurs sur le contenu sont corrigées, ce qui apparente ce mouvement à l'«approche naturelle» de Krashen et Terrel (1983). Chaque leçon est construite à partir d'un problème ou d'une tâche.

D'autre part, il y a le syllabus axé sur le processus, auquel sont rattachés notamment les noms de Breen et Candlin (1980), Breen (1987) et Candlin et Murphy (1987). Ce qui caractérise ce courant britannique, c'est que le contenu de l'apprentissage n'est nullement prédéterminé. Le contenu doit être l'objet de négociations en salle de classe car tout apprentissage est le produit d'une négociation. Aux dires des promoteurs de ce mouvement original (mais extrémiste), un syllabus ne peut être établi qu'après un cours ou une leçon, et non avant. L'accent est mis sur la négociation des tâches à réaliser, et non sur les formes langagières. Mais la définition du concept de tâche est plutôt extensible, comprenant autant un simple exercice langagier qu'une activité complexe telle une simulation ou un jeu de rôle (Breen 1987 : 23).

Enfin, du côté américain (notamment l'Université de Hawaï à Manoa), on trouve le syllabus axé à la fois sur la tâche proprement dite et sur la forme langagière (Long et Crookes 1992). L'essentiel des conceptions qui caractérisent ce courant provient de recherches empiriques portant sur les activités de la salle de classe (anglais langue seconde) et tente de faire des liens avec les travaux d'ordre psycholinguistique portant sur l'acquisition, travaux plus ou moins tenus à l'écart l'un de l'autre jusqu'ici (Nunan 1991). En tentant de fonder empiriquement leur démarche et en mettant l'accent autant sur la forme langagière que sur la tâche, ses promoteurs se distinguent des deux autres courants centrés sur la tâche. La tâche est définie dans le sens que l'on donne à ce mot dans la vie de tous les jours (et non dans un sens technique) : repeindre une clôture, habiller un enfant, remplir un formulaire, acheter une paire de chaussures, réserver un billet d'avion, taper une lettre, etc. (Long et Crookes 1992 : 43-44). Le choix des tâches et des types de tâches à proposer aux apprenants vient d'une analyse des besoins des apprenants, en termes de tâches (comme louer un appartement, acheter un billet de train) – ce qui n'est pas sans rappeler le concept de besoins qui a servi de fondements aux travaux entrepris, il y a plusieurs années, dans le cadre du Conseil de l'Europe.

Quoi qu'il en soit, seul l'avenir permettra de dire si l'orientation de l'approche communicative vers le concept de «tâche», dans l'une ou l'autre de ses avenues (tâche proprement dite, processus, procédure), aboutira ou avortera. Mais il apparaît déjà assez clairement que toute méthode ou approche qui n'accorde pas autant d'importance à la forme qu'à la signification, ou qui n'intègre pas ces deux aspects cruciaux de la communication (Savignon 1991 : 269), a peu de chance de perdurer...

Une autre voie, d'un type différent, qui paraît connaître certains développements intéressants, est l'approche axée sur le contenu. C'est dans ce courant que l'on pourrait situer les récentes tentatives du ministère de l'Éducation du Québec de refaire certains de ses programmes officiels d'enseignement du français langue seconde. Une des tendances du ministère est de proposer l'intégration de l'enseignement de la L2 et des matières. En d'autres termes, il s'agit de s'inspirer des contenus des programmes des matières, comme les sciences humaines et les sciences de la nature, et de déterminer comment pourrait s'y intégrer le contenu langagier du programme actuel de français langue seconde (axé sur l'approche communicative). Il s'agit donc d'une démarche visant l'intégration de la langue et des contenus des matières scolaires (Genesee 1992).

Dans un autre ordre d'idées – et c'est là le troisième aspect de ces réflexions – si on revient à la case départ du présent ouvrage, on se souviendra que Stern (1981) avait mentionné l'idée d'une double contribution à l'approche communicative, à la fois d'origine linguistique et – sur le tard il est vrai – d'origine pédagogique et psychologique. Dans la suite de son article, Stern tente d'ailleurs une première synthèse de ces deux courants, en se référant à la conception du curriculum à trois niveaux prônée par Allen lors d'une communication présentée en 1980 (Allen 1983). Le curriculum d'Allen tente de concilier, de son côté, les aspects structural, fonctionnel et expérientiel (non analytique) de l'approche. Mais, comme le fait observer Stern, les éléments culturels et socioculturels liés à toute langue ne sont pas pris en compte dans le curriculum d'Allen. C'est alors que Stern donne les grandes lignes de ce que pourrait être un curriculum à quatre dimensions (1981 : 143). Par là, il vise explicitement, depuis 1981 au moins, à faire la synthèse des éléments qu'il considère comme non intégrés dans l'approche communicative. C'était jeter les bases de ce qui allait être appelé à se développer sur une grande échelle par la suite (après son décès, survenu en 1987) et qui commença à se répandre, tout d'abord en milieu canadien, sous l'étiquette de «curriculum multidimensionnel» (LeBlanc 1990). Ce curriculum comprend quatre dimensions ou syllabi :

- un syllabus langue,
- un syllabus communicatif/expérientiel,
- un syllabus culture,
- un syllabus formation langagière générale.

Le principe d'unification de ces quatre dimensions est la démarche du type expérientiel, qui vise à tenir compte du vécu des élèves, de leur savoir, de leur compétence, en un mot, de leur expérience. Sans vouloir préjuger de l'avenir de ce type de curriculum, il faut convenir qu'il s'agit là d'une autre forme de prolongement de l'approche communicative, suscitée en tout cas par la réflexion de Stern sur certaines limites inhérentes à l'approche.

Tels sont donc les aspects qui ont retenu notre attention lorsqu'il s'est agi de se lancer dans des propos aventureux concernant l'avenir de l'approche communicative. Mais pour apprécier véritablement la portée de ces propos, il faudrait pouvoir se redonner rendez-vous dans une dizaine d'années, au seuil du XXIe siècle...

BIBLIOGRAPHIE

ALLEN, J.P.B. (1983). «A three-level curriculum model for second-language education». *Revue Canadienne des Langues Vivantes* 40,1.

ALLWRIGHT, D. et K.M. BAILEY (1991). *Focus on the Language Classroom : An Introduction to Classroom Research for Language Teachers.* New York, Cambridge University Press.

ALLWRIGHT, R.L. (1976-1979). «Language learning through communication practice». In *The Communicative Approach to Language Teaching.* C.J. Brumfit et K. Johnson (réd.). Londres, Oxford University Press.

AUSTIN, J.L. (1962-1970). *Quand dire, c'est faire.* Paris, Seuil.

BAUTIER-CASTAING, E. et J. HEBRARD (1980). «Apprendre une langue seconde ou continuer à apprendre à parler en apprenant une langue seconde? Une réponse psycholinguistique». In *Lignes de forces du renouveau actuel en D.L.E.* E. Bautier-Castaing *et al.* (réd.). Paris, CLE international.

BÉRARD, E. (1991). *L'approche communicative – Théorie et pratiques.* Paris, CLE international.

BÉRARD, E. et C. LAVENNE (1991). *Modes d'emploi – Grammaire utile du français.* Paris, Hatier/Didier.

BESSE, H. (1985). *Méthodes et pratiques des manuels de langue.* Paris, Didier-Crédif.

BESSE, H. (1982). «Vers un apprentissage contrasté de la compétence communicative étrangère». In *Actes du 2e Colloque sur la didactique des langues.* Québec, CIRB [Centre international de recherche sur le bilinguisme].

BESSE, H. (1980). «La question fonctionnelle». *Polémique en didactique – Du renouveau en question.* H. Besse et R. Galisson (réd.). Paris, CLE international.

BESSE, H. et R. PORQUIER (1984). *Grammaires et didactique des langues.* Paris, Crédif-Hatier.

BIALYSTOK, E. (1990). «Connaissances linguistiques et contrôle des activités de langage». *Le Français dans le Monde / Recherches et Applications*, Février-mars.

BIALYSTOK, E. (1978). «A theoretical model of second language learning». *Language Learning* 28,1.

BIBEAU, G. (1983). «Les rapports L1/L2 dans l'acquisition de L2». *Bulletin de l'ACLA* 5,1.

BILLY, L. (1985). «Peut-il y avoir une nouvelle problématique concernant la question des besoins en didactique des langues secondes ou étrangères?». *Bulletin de l'ACLA* 7,1.

BONGE, Pierre (1992). *Analyse conversationnelle et théorie de l'action.* Paris, Crédif, Hatier/Didier.

BREEN, M. (1987). «Learner contribution to task design». In *Language Learning Tasks.* C.N. Candlin et D.F. Murphy (réd.). Englewood Cliffs, N.J., Prentice-Hall.

BREEN, M. (1982). «Authenticity in the language classroom». *Bulletin de l'ACLA* 4,2.

BREEN, M. et C.N. CANDLIN (1980). «The essentials of a communicative curriculum in language teaching». *Applied Linguistics* 1,2.

BRUMFIT, C.J. (1987). «Applied linguistics and communicative language teaching». *Annual Review of Applied Linguistics* 8.

CALVÉ, P. (1991). «Corriger ou ne pas corriger, là n'est pas la question». *Le Journal de l'immersion* 15,1.

CANALE, M. (1981). «From communicative competence to communicative language pedagogy». In *Language and Communication.* J. Richards et R. Schmidt (réd.). Londres, Longman.

CANALE, M. et M. SWAIN. (1980). «Theoretical bases of communicative approaches to second language teaching and testing». *Applied Linguistics* 1,1.

CANDLIN, C.N. et D.F. MURPHY (réd.) (1987). *Language Learning Tasks.* Englewood Cliffs, N.J., Prentice-Hall.

CHAMPAGNE-MUZAR, C. et J. BOURDAGES (1993). *Le Point sur l'enseignement de la phonétique.* Montréal, Centre Éducatif et Culturel.

CHARAUDEAU, P. (1992). *Grammaire du sens et de l'expression.* Paris, Hachette Éducation.

CHASTAIN, K.D. et F.J. WOERDEHOFF (1968). «A methodological study comparing the audio-lingual habit theory and the cognitive code-learning theory». *Modern Language Journal* 52.

CHAUDRON, C. (1988). *Second Language Classrooms – Research on Teaching and Learning.* Cambridge, Cambridge University Press.

CHOMSKY, N. (1966-1972). «Théorie linguistique». *Le Français dans le Monde* 88.

CICUREL, F. (1993). «À la recherche de l'équilibre interactionnel en classe de langue...». *Actes du Congrès de la FIPF* [Fédération internationale des professeurs de français], Lausanne.

CICUREL, F. (1988). «Interaction et communication didactique». *Bulletin de l'AQEFLS* 9,4 [Association québécoise des enseignants de français langue seconde].

CORDER, S. P. (1967-1980). «Que signifient les erreurs des apprenants?». *Langages* 57.

CORNAIRE, C. (1991). *Le point sur la lecture en didactique des langues.* Montréal, Centre Éducatif et Culturel.

CORNAIRE, C. et C. ALSCHULER (1987). *La communication par le jeu : un recueil de jeux et d'activités communicatives pour l'enseignement du français, langue seconde.* Montréal, Centre Éducatif et Culturel.

COSTE, D. *et al.* (1976). *Un niveau-seuil.* Strasbourg, Conseil de la coopération culturelle du Conseil de l'Europe.

COSTE, D. et R. GALISSON (1976). *Dictionnaire de didactique des langues.* Paris, Hachette.

de HEREDIA, C. (1983). «Les parlers français des migrants». In *J'cause français, non?* F. François (réd.). Paris, Éditions La Découverte/Maspero.

DOISE, W. et G. MUGNY. (1981). *Le développement social de l'intelligence.* Paris, Interéditions.

DUFF, P.A. (1986). «Another look at interlanguage talk : Taking task to task». In *Talking to Learn : Conversation in Second Language Acquisition.* R.R. Day (réd.). Rowley, Mass., Newbury House.

DULAY, H.C. et M.K. BURT (1974). «Errors and strategies in child second language acquisition». *TESOL Quarterly* 8,2.

DUPLANTIE, M. (1982). «Jouer à l'authentique ou se faire jouer par l'authentique?». *Bulletin de l'ACLA* 4,2.

DUQUETTE, L. (1991). *L'étude de l'apprentissage du vocabulaire en contexte par l'écoute d'un dialogue scénarisé en français langue seconde.* Ph.D. éducation, Faculté des sciences de l'éducation, Université de Montréal.

DUQUETTE, L. (1989). «Les habiletés réceptives : situation actuelle et perspectives pédagogiques». In *L'enseignement des langues secondes aux adultes : recherches et pratiques.* R. LeBlanc, J. Compain, L. Duquette et H. Séguin (réd.). Ottawa, Les Presses de l'Université d'Ottawa.

ELLIS, R. (1986). *Understanding Second Language Acquisition.* Oxford, Oxford University Press.

FABRE, C. et M. MARQUILLÓ (1991). «Quelques scripteurs en quête de texte». *Études de Linguistique Appliquée* 81.

GALISSON, R. (1991). *De la langue à la culture par les mots.* Paris, CLE international.

GALISSON, R. (1983). *Des mots pour communiquer.* Paris, CLE international.

GAONAC'H, D. (1988). «Psychologie et didactique des langues : perspectives de recherche en psychologie du langage». *Études de Linguistique Appliquée* 72.

GAONAC'H, D. (1987). *Théories d'apprentissage et acquisition d'une langue étrangère.* Paris, Hatier.

GAVELLE, G. (1980). *Stratégies de communication dans la classe de langue.* Thèse pour le doctorat de 3e cycle, Université Paris V.

GENESEE, F. (1992). «Intégration de la langue seconde et des contenus de matières scolaires». *Bulletin de l'AQEFLS* 13,3-4.

GERMAIN, C. et H. SÉGUIN (à paraître). *Le Point sur la grammaire en didactique des langues.* Montréal, Centre Éducatif et Culturel.

GERMAIN, C. (1993). *Évolution de l'enseignement des langues : 5 000 ans d'histoire.* Paris, CLE international et Montréal, HMH.

GERMAIN, C. (1992). «Les rôles de l'enseignant et des apprenants en classe de langue seconde». *Revue de l'AQEFLS* 14,1.

GERMAIN, C. (1990). «La structure hiérarchique d'une leçon en classe de langue seconde». *Bulletin de l'ACLA* 12,2.

GERMAIN, C. (1984). «Quelques enjeux fondamentaux dans une pédagogie de la communication». *Études de Linguistique Appliquée* 56.

GERMAIN, C. (1983). «Langue maternelle et langue seconde : le concept d'obstacle pédagogique». *Le Français dans le Monde* 177.

GERMAIN, C. (1981a). *La sémantique fonctionnelle.* Paris, Presses Universitaires de France.

GERMAIN, C. (1981b). «Français fonctionnel, notionnel ou situationnel?». In *Options nouvelles en didactique du français langue étrangère.* P. Léon et J. Yashinsky (réd.). Paris, Didier.

GERMAIN, C. (1980). «L'approche fonctionnelle en didactique des langues». *Revue Canadienne des Langues Vivantes* 37,1.

GRANDCOLAS, B. (1981). «Interaction et correction». *Revue de Phonétique Appliquée* 61-62-63.

HALLIDAY. M.A.K. (1975). *Learning How to Mean – Explorations in the Development of Language.* Londres, Edward Arnold.

HALLIDAY, M.A.K. (1973-1974). «La base fonctionnelle du langage». *Langages* 34.

HARDY, M. (1992). *Intermède : Cahier d'activités.* Niveau intermédiaire/avancé, Laval, Éditions FM.

HATCH, E. (1978). *Second Language Acquisition.* Rowley, Mass., Newbury House.

HORNBY, A.S. (1963). *The Teaching of Structural Words and Sentence Patterns.* Londres, Oxford University Press.

HOWATT, A. P. R. (1987). «From structural to communicative». *Annual Review of Applied Linguistics* 8.

HUOT, D. et R. LELOUCHE (1991). «Les variables de la situation de communication dans l'enseignement du français langue seconde ou étrangère : quelques difficultés de définition». *Revue de l'ACLA* 13,2.

JAKOBOVITS, L.A. (1972). «Preface : Authenticity in FL [Foreign Language] teaching». In *Communicative Competence : An Experiment In Foreign-Language Teaching.* S. Savignon. Philadelphia, Pa., The Center for Curriculum Development.

JAKOBOVITS, L.A. (1970). *Foreign Language Learning : A Psycholinguistic Analysis of the Issues.* Rowley, Mass., Newbury House.

HYMES, D. (1973-1984). *Vers la compétence de communication.* Paris, Crédif-Hatier.

HYMES, D. (1972). «On communicative competence». *Sociolinguistics : Selected Readings.* J.B. Pride et H. Holmes (réd.). Harmondsworth, Penguin Books.

JOHNSON, K. (1981). «Introduction». In *Communication in the Classroom.* K. Johnson et K. Morrow (réd.). Harlow, Longman.

JUPP, T.C., S. HODLIN, C. HEDDESHEIMER et J.P. LAGARDE (1975-1978). *Apprentissage linguistique et communication.* Paris, CLE international.

KRAMSCH, C. (1984). *Interaction et discours dans la classe de langue.* Paris, Crédif/Hatier.

KRASHEN, S.D. et T.D. TERRELL (1983). *The Natural Approach : Language Acquisition in the Classroom.* New York, Pergamon Press.

LEBLANC, R. (1990). *Étude nationale sur les programmes de français de base – Rapport synthèse.* Ottawa, ACPLS [Association canadienne des professeurs de langue seconde].

LEBLANC, R. (1986). «Approche communicative et phonétique». In *Propos sur la pédagogie de la communication en langues secondes.* A.-M. Boucher, M. Duplantie et R. LeBlanc (réd.). Montréal, Centre Éducatif et Culturel.

LEVIN, L. (1972). *Comparative Studies in Foreign-Language Teaching – The GUME Project.* Stockholm, Almqvist & Wiksell.

LITTLEWOOD, W. (1981). *Communicative Language Teaching.* Cambridge, Cambridge University Press.

LONG, M. et G. CROOKES (1992). «Three approaches to task-based syllabus design». *TESOL Quarterly* 26,1.

LONG, M.H. (1981). «Input, interaction, and second-language acquisition». In *Native Language and Foreign Language Acquisition*. H. Winitz (réd.). New York, The New York Academy of Sciences.

LUSSIER, D. et C. TURNER (à paraître). *Le Point sur l'évaluation en didactique des langues*. Montréal, Centre Éducatif et Culturel.

MARTINET, A. (1979). *Grammaire fonctionnelle du français*. Paris, Didier.

McLAUGHLIN, B. (1987). *Theories of Second-Language Learning*. Londres, Edward Arnold.

McLAUGHLIN, B., T. ROSSMAN et B. McLEOD (1983). «Second language learning: An information processing perspective». *Language Learning* 33,2.

MOIRAND, S. (1982). *Enseigner à communiquer en langue étrangère*. Paris, Hachette.

MOIRAND, S. (1974). «Audio-visuel intégré et communication(s)». *Langue française* 24.

MORROW, K. (1981). «Principles of communicative methodology». In *Communication in the Classroom*. K. Johnson et K. Morrow (réd.). Harlow, Longman.

MOSCOVICI, S. (1970). «Préface». In *La psychologie sociale, une discipline en mouvement*. D. Jodelet, J. Viet et P. Besnard. Paris-La Haye, Mouton.

MUGNY, G. (1985). «Avant-Propos – La psychologie sociale génétique : Une discipline en développement». In *Psychologie sociale du développement cognitif*. G. Mugny (réd.). Berne, Peter Lang.

MUNBY, J. (1978). *Communicative Syllabus Design*. Londres, Cambridge University Press.

NEMSER, W. (1971). «Approximative systems of foreign language learners». *IRAL* 9,2.

NEWMARK, L. (1966). «How not to interfere with language learning». *International Journal of American Linguistics* 32,1.

NORMAN, D., U. LEVIHN et J.A. HEDENQUIST (1986). *Communicative Ideas – An Approach with Classroom Activities*. Londres, Language Teaching Publications.

NUNAN, D. (1991). «Communicative tasks and the language curriculum». *TESOL Quarterly* 25,2.

NUNAN, D. (1989). *Designing Tasks for the Communicative Classroom*. Cambridge, Cambridge University Press.

O'MALLEY, M., A. CHAMOT et C. WALTER (1987). «Some applications of cognitive theory to second language acquisition». *Studies in Second Language Acquisition* 9.

OXFORD, R.L., R.Z. LAVINE et D. CROOKALL (1989). «Language learning strategies, the communicative approach, and their classroom implications». *Foreign Language Annals* 22,1.

PAULSTON, C.B. (1976-1979). «Communicative Competence». In *Bilingual Multicultural Education and the Professional – From Theory to Practice.* H.T. Trueba et C. Barnett-Mizrahi (réd.). Rowley, Mass., Newbury House.

PÉREZ, M. (1992). *Élaboration d'une typologie des activités de simulation d'échanges interpersonnels en pédagogie des langues secondes ou étrangères.* Ph.D. éducation, Faculté des sciences de l'éducation, Université de Montréal.

PÉREZ, M. (1978). «Nouvelles orientations des cours de langues : problèmes soulevés». In *Nouvelles orientations des cours de langue seconde.* Collège militaire royal, St-Jean (Québec).

PERRET-CLERMONT, A.-N. (1979). *La construction de l'intelligence dans l'interaction sociale.* Berne, Peter Lang.

PICA, T. et C. DOUGHTY (1988). «Variations in classroom interaction as a function of participation pattern and task». In *Second Language Discourse : A Textbook of Current Research.* J. Fine (réd.). Norwood, N.J., Ablex Publishing.

PICA, T. et C. DOUGHTY (1985). «Input and interaction in the communicative language classroom : A comparison of teacher-fronted and group activities». In *Input in Second Language Acquisition.* S.M. Gass et C.G. Madden (réd.). Rowley, Mass., Newbury House.

PRABHU, N.S. (1987). *Second Language Pedagogy.* Oxford, Oxford University Press.

RICHARDS, J.C. et T.S. RODGERS (1986). *Approaches and Methods in Language Teaching.* Cambridge, Cambridge University Press.

RICHARDS, J. et R. SCHMIDT, (1981). *Language and Communication.* Londres, Longman.

RIVENC, P. (1981). «Et la Grammaire dans tout cela?». *Revue de Phonétique Appliquée* 61-62-63.

RIVERS, W.M. (réd.) (1987). *Interactive Language Teaching.* Cambridge, Cambridge University Press.

RIVERS, W.M. (1972-1973). «Nos étudiants veulent la parole». *Le Français dans le Monde* 94.

RIVERS, W.M. (1964). *The Psychologist and the Foreign Language Teacher.* Chicago et Londres, University of Chicago Press.

RODRIGUEZ, C. (1986). «La grammaire, cinquième roue de la charette?». In *Didactique en questions.* F. Ligier et L. Savoie (réd.). Beloeil, Éditions La Lignée.

ROULET, E. (1976). *Un niveau-seuil : Présentation et guide d'emploi.* Strasbourg, Conseil de la coopération culturelle du Conseil de l'Europe.

RULON, K.A. et J. McCREARY (1986). «Negociation of content : teacher-fronted and small-group interaction». In *Talking to Learn : Conversation in Second Language Acquisition.* R.R. Day (réd.). Rowley, Mass., Newbury House.

SALIMBENE, S. (1983). «From structurally based to functionally based approaches to language teaching». *English Teaching Forum*, janvier.

SAVIGNON, S. (1991). «Communicative language teaching : State of the art». *TESOL Quarterly* 25,2.

SAVIGNON, S. (1972). *Communicative Competence : An Experiment In Foreign Language Teaching*. Philadelphie, The Center for Curriculum Development.

SCHERER, G.A.C. et M. WERTHEIMER (1964). *A Psycholinguistic Experiment in Foreign-Language Teaching*. New York, McGraw-Hill.

SCHUBAUER-LEONI, M-L. et A.-N. PERRET-CLERMONT (1985). «Interactions sociales dans l'apprentissage de connaissances mathématiques chez l'enfant». In *Psychologie sociale du développement cognitif*. G. Mugny (réd.). Berne, Peter Lang.

SEARLE, J.R. (1969-1972). *Les actes de langage*. Paris, Hermann.

SELIGER, H.W. (1983). «Learner interaction in the classroom and its effects on language acquisition». In *Classroom Oriented Research in Second Language Acquisition*. H.W. Seliger et M.H. Long (réd.). Rowley, Mass., Newbury House.

SELINKER, L. (1991). «Along the way : Interlanguage systems in second language acquisition». In *Language, Culture and Cognition*. L. Malavé et G. Duquette (réd.). Philadelphie, Multilingual Matters.

SMITH, Jr. P.D. (1970). *A Comparison of the Cognitive and Audiolingual Approaches to Foreign Language Instruction*. Philadelphie, The Center for Curriculum Development.

STERN, H.H. (1983). *Fundamental Concepts of Language Teaching*. Londres, Oxford University Press.

STERN, H.H. (1981). «Communicative language teaching and learning : Toward a synthesis». In *The Second Language Classroom : Directions for the 1980s*. J.E. Alatis *et al.* (réd.). New York, Oxford University Press.

SWAN, M. (1985). «A critical look at the communicative approach». *English Language Teaching Journal* 39,1.

TARDIF, C. et R.-H. ARSENEAULT (1990). *L'indispensable – Cahier d'exercices*. Montréal, Centre Éducatif et Culturel.

TARDIF, J. (1992). *Pour un enseignement stratégique – L'apport de la psychologie cognitive*. Montréal, Logiques.

TERRELL, T., E. GOMEZ et J. MARISCAL (1980). «Can acquisition take place in the language classroom?». In *Research in Second Language Acquisition*. R.C. Scarcella et S. Krashen (réd.). Rowley, Mass., Newbury House.

TRIM, J.L.M. *et al.* (1973). *Systèmes d'apprentissage des langues vivantes par les adultes : un système européen d'unités capitalisables*. Strasbourg, Conseil de la coopération culturelle du Conseil de l'Europe.

van EK, J.A. (1975). *The Threshold Level in a European Unit/Credit System for Modern Language Learning by Adults.* Strasbourg, Conseil de l'Europe.

van LIER, L. (1988). *The Classroom and the Language Learner.* Londres, Longman.

WEINRICH, H. (1989). *Grammaire textuelle du français.* Traduit de l'allemand par G. Dalgalian et D. Malbert. Paris, Alliance Française et Didier/Hatier.

WEISS, F. (1983). *Jeux et activités communicatives de la classe de langue.* Paris, Hachette.

WELLS, G. (1981). *Learning through Interaction – The Study of Language Development.* Cambridge, Cambridge University Press.

WIDDOWSON, H.G. (1978-1981). *Une approche communicative de l'enseignement des langues.* Paris, Crédif-Hatier.

WILKINS, D. (1976). *Notional Syllabuses.* Oxford, Oxford University Press.

WOODS, D. (1989). «Studying ESL [English as a Second Language] teachers' decision-making : rationale, methodological issues and initial results». *Carleton Papers in Applied Language Studies* 6.

YALDEN. J. (1987). «Syllabus design : An overview of theoretical issues and practical implications». *Annual Review of Applied Linguistics* 8.

YALDEN, J. (1983). *The Communicative Syllabus : Evolution, Design & Implementation.* Oxford, Pergamon Press.